10歳若返る会話術

齋藤　孝

集英社文庫

目次

第3章

〔聞き方編〕体全体で共感しながら聞く

第6章 オンラインでの会話のコツ〔リモート編〕

本書は、二〇一五年十一月、書き下ろし単行本として集英社より刊行されました。文庫化にあたり、書き下ろしの「第6章　リモート編」を加えました。

構成／砂田明子

本文デザイン／アルビレオ
イラストレーション／川合翔子

10歳若返る会話術

まえがき

この本を手に取ってくださったあなた。「若返る」という言葉にピンときたのかもしれません。若返りたいという思いの裏には、老けて見られたくないという思いがあります。「健康で長生きしたい」と「若返りたい＝老けて見られたくない」。この2つは、現代を生きる私たち共通の思いなのです。

ところで、本題に入る前にクイズです。

次の5つの中で、年齢を重ねた人が、若々しく見られる話し方はいくつあるでしょう？

①結婚式のスピーチを3分間行う。
②度忘れしてしまったことを、なんとか思いだそうと努力する。
③話の最後を「ことわざ」で締める。
④常に自分の経験談を話のネタにする。
⑤苦手な人や嫌いな人とも積極的に会話する。

正解は……ゼロです。

「え？」と思った方は、もう一度前のページを見てみてください。

「こういうことをいつも意識してやっている」という方もいることでしょう。

「いいことばかりじゃないの？」と不思議に思う方もいるでしょう。

実は……これは「若返る会話術」でやっていけないこと5カ条なのです。

なぜならこの5つは、老けて見られる会話術だからです（その理由は、本書を読むとわかります）。

例えば、「話の最後を『ことわざ』で締める」。

最近大変なことが起こったあなた。その大変さをわかってほしくて、「こういうことがあって、ああいうことがあって、それで……」話し終えたときに相手がこう言いました。

「まぁ結局、〝人生山あり谷あり〟だよね」

「…………」

（いや、確かにそれはそうなんだけどさ……）

（そう言われちゃうと、なんかなぁ……）

（うーん。わかってほしかったのは、そういうことじゃないんだよなぁ……）

ことわざがダメなわけではありません（ことわざは、日本語の財産です）。話した人のいろいろな思いをたった一言でまとめて、会話を終わらせてしまうことが若々しくない、つまり老けて見られてしまう行為なのです。

今の時代、ゆるやかになんとなく続いていく果てしない会話が、若々しい会話なのです。

「話が続かない人」より「話が続く人」のほうが、重宝されるのです。

本書では、今すぐ実践できるカンタンなことや、日々の過ごし方を少し変えるだけのことなど、若返る会話術のコツやポイントをたくさん紹介しています。

中には「こんなことでいいの？」と思うものもあるでしょう。

会話は習慣です。習慣を変えるのは難しいことなので、「こんなこと」くらいでも、変化は十分に感じられます。

一つでも実践すれば、あなたの会話は確実に変わります。

「なんか、いつもと違うね」と人にも伝わります。

全部実践できたら、あなたの会話は今より10歳若返ります。

文庫化にあたり、新たに第6章「リモート編　オンラインでの会話のコツ」を加えました。私が2020年に大学の講義をリモートで実施した経験を踏まえて、オンラインで会話するときに効果的に気持ちを伝える方法や、話をまとめるためのコツについて紹介しています。対面していなくても、相手に与える印象を若返らせることは可能です。

会話のアンチエイジング、スタートです！

第1章

〔エクササイズ編〕

いきなり
話し始めるから
失敗する

テクニック1　準備運動をすると口がよく回る

高齢の方によくある悩みは、「うまく口が回らない」ということ。どうしても若いときに比べると筋肉が硬くなりがちなので、無理もないことです。とはいえ、口が回らないのは年齢のせいだけではありません。

しばらく口を開いていないとき、いきなり話しだすと口元がもつれてしまうのは、誰にでもあります。私は、早朝のテレビ番組に出ていたのですが、自分ではちゃんと口が回っていると思っていても、実際はそうでもないことがあります。起きたばかりのときは、しばらくしゃべっていないときと同じように、口の動きも鈍くなっているのです。

そんなとき、私がよくやっていたのは、顔全体のマッサージです。口が動かないから口の周りをほぐせばいいと思われがちですが、人が話すときは表情筋も使っているので、顔全体をほぐさないと、口の動きはよくなりません。

まずは、両手で頬を押さえてぐるぐる回します。勢いよく回したり、強く押さえつけたりせず、自然に手を添えてゆっくり回していきます。次第にやわらかくなるのが手のひらに伝わり、また血行がよくなって顔が温かくなります。しばらく回してから、軽く頬や口の近くをポンポン叩く(たた)と、より口が動かしやすくなります。

たったこれだけのことでも、十分に効果はあります。学生たちにも、人前で発表する前にやるようにすすめています。口の動きがよくなると同時に、緊張もほぐれるので、すっと話に入れます。

口の周りや顔全体を温めるという点では、温かいお茶やコーヒーを飲むのもいいでしょう。手っ取り早く温まります。口が回らないと思っても、実は喉が渇き気味で声がカサカサしているということがあります。温かい飲み物で喉をうるおしながら、少しずつ「話す」ためのエンジンをかけていきましょう。

大学で、音楽の先生を目指す、声楽を専門に学ぶ学生たちの授業を受け持ったことがあります。彼らは授業中、片時もペットボトルを離しません。ごくごく飲むわけではないのですが、定期的に水分を取りながら授業を受けていました。聞いてみると、常に喉をうるおして声帯を守っているのだそうです。

これは私たちも同じですが、喉が渇いた状態というのはきわめてよくないんですね。よく、「喉が渇いた」といって水分を取りますが、本当はそれでは遅い。

常に渇かないようにしておく、つまりうるおしておくということが大切なのです。

そう考えると、お茶を飲みながら話をする「茶話会」は理にかなっているということになります。お茶は喉だけでなく、人間関係をうるおす役割も果たしているのかもしれません。

また、口の回りをよくするためには、**第一声を大きめにする**という方法もあります。声が小さいのは、息の勢いが足りないということ。息の勢いが足りないと、言葉がはっきりと出てこなくなります。息の上に言葉が乗って「声」として伝わるので、息を多めに出して声を大きくしてみるといいでしょう。一度、大きな声を出すと、その次も息を大きく吸うようになるので、スムーズに話しだせるようになります。

緊張して声が出ないときこそ、この方法は有効です。一発目のアクセルをしっかり踏めれば、あとは自然に動きだします。

テクニック 2　胸を大きく開くと声が出やすくなる

話しやすくするための準備運動としては、胸の筋肉を伸ばすのがおすすめです。声を出すにあたっては、呼吸するための筋肉を動かしておくのがいいからです。

頭の後ろで両手の指を組んで、ひじを後ろに引くようにして胸の筋肉を伸ばします。

また、両手を上げて、片方の手でもう一方のひじをつかんで引っ張るというのを、左右交互にやってみる。胸の筋肉が伸びると、深い呼吸ができます。呼吸が深くなると吐く息に勢いが出て、声も言葉も出やすくなります。

胸を開く、といっても、意識しないとなかなかできません。日本人は欧米人に比べて前屈（まえかが）みになる傾向があります。太古の昔からの生活習慣にも関係しますが、日本人は農耕民族で、農作業は基本的に前屈みです。また、地形的にも山道や坂道が多いので、そういう場所では膝をゆるめて前屈みで歩くという習慣がついてしまうのです。

その上、年齢を重ねていくとさらに胸が閉じて前屈みになりますから、意識的に胸を開くという運動をしましょう。

　私は講演をするときに、一方的に話すだけではなく、聴衆の方同士で話してもらう時間を設けることがあります。聞くという受動的な行為だけでなく、話すという能動的な行為を入れることで、聞く人たちの意識と目的がはっきりしてくるからです。

　それに、ただ漫然と聞いているだけでは、その情報を活かすことができません。お互いに話してもらうことで、主体性を持って参加してもらいたいと思っています。

　そういうとき、急に「近くの人と話してください」と言っても無理です。話を聞こうと思って来ている人たちは、いきなり「話してください」と言われても、心の準備ができていません。まず全員に立ち上がってもらって、先ほどの胸の筋肉を開く運動をしてもらいます。そして、軽く膝の屈伸をして、2人1組になって拍手してハイタッチしてもらうのです。そうすると、話す相手との心理的距離が縮まりますし、なんといっても話すための心と体の準備ができます。

　中には高齢の方もいらっしゃいますが、話す段階になるとけっこうテンションが高くなって楽しんでいます。立ち上がるスペースがない場合は、椅子に座ったまま、背中で両手を組んで、ぐっと胸を張ります。

やはり、全身をほぐしておくというのは大事なのです。「話す用意ができている体」とは、深い呼吸をして声を出す準備ができていることと、人に対して体と心が開かれているということ、この2つが必要です。

以前、「他者に対して体が開かれているか、閉じているか」という研究をしたことがあります。そのときに、竹内敏晴さんが書いた『ことばが劈(ひら)かれるとき』(ちくま文庫)という本を読みました。竹内さんは芝居の演出家で、耳が不自由になった経験から「からだ」の研究をされているのです。

竹内さんによると、言葉というのは単なる音声ではなくて、**体全体で相手に向かっていくことの表出**であるといいます。体が開いているか閉じているかがまずあって、それで会話(言葉)が成り立っている。基本は「からだ」であるという認識です。相手に対して体が開かれているかどうかが大事なのに、世の中には意外に体が閉じている人が多い。だから、話してはいるけれど、暗い印象になっているのです。

ですから竹内さんは、開く体を作っていこうというレッスンをしていました。

そのレッスンに影響を与えたのが「野口体操」。野口三千三(みちぞう)さんが考案した体操ですが、この野口体操の基本は、体のムダな硬さをほぐして、内側からゆるめるというもの。

私も野口体操の教室に通ったことがあるのですが、野口先生が長い鞭(むち)のようなものを持ってきて、端を持って「えいっ」と振り、その力の波が先のほうに伝わっていくのを見せてくれます。これは、体がゆるんでいて、力が波のように伝わることの例なのです。

普通は、骨の周りに筋肉がついていて、それを覆うように皮膚があると考えます。ですが、野口先生の考え方は違います。薄い革袋のようなものの中に、形が定まらない液体が詰まっていて、その中に骨が浮かんでいるというイメージなのです。だから、体の中のどこか一点に力を入れると、それが波となって全身に伝わって揺れ動くようになる。

そんな体なんてありえないと思うかもしれませんが、赤ちゃんの体はそれに近いものがあります。赤ちゃんが寝ているときに片足を軽く揺すると、その揺れが首まで伝わっていきます。本当にやわらかい体というのは、どこか一カ所が揺れると、遠く離れたところまで揺れが伝わるのです。

ですが、私たち大人の体はそういきません。それは、体の中が硬くなっている証拠です。

会話や言葉を発することの基本は「からだ」です。他者に対して開かれている「からだ」というのが、内側からゆるんでいるものだとすれば、やはり体をほぐしてやわらかくすることと、イキイキと楽しく会話することは関係が深いと言えるでしょう。

胸を開くことの大切さについては、歌舞伎俳優の坂東玉三郎さんも**「演技の基本は胸を開くこと」**という主旨の発言をされています。私が勤務する明治大学で玉三郎さんとトークショーをしたときに、こうおっしゃっていました。胸を開くと明るく楽しい気持ちが表現できますが、だからといって悲しいときに胸を閉じるものでもない。胸を開いたまま、悲しい気持ちを演ずるのだそうです。

舞台の上で演技するにあたっては胸を開いて感情を表現することが大事であり、それが観客の皆さんに対して表現をする体のあり方である、そういうことなのです。

皆さんは舞台上で話すことはないかもしれませんが、同じように明るく開かれた体を意識することは必要だと思います。そうすることによって、若々しい印象を与えることができます。

話す準備として、胸の筋肉を伸ばして、大きく呼吸をして、体を揺すってやわらかくする。それが1人でできなければ、そばにいる人に腕を引っ張ってもらうとか、肩甲骨を動かしてゆるめてもらうなどして、協力してもらいましょう。

テクニック

3 尺八を吹くように息を長くゆるく吐く

私は長年いろいろな呼吸法を実践してきているのですが、息をふぅーっと長く吐く呼吸をしていると、若々しくいられるのではないかと思っています。長くゆるく吐く呼吸を行うと、なんとなく体の中で若くあるための仕組みが働きだすような、そんなイメージを持っています。

それは例えば、砂時計で落ちる砂がすごくゆっくりになるような感じです。ゆったり呼吸することで、時間もゆっくり流れていく。つまり、若くいられる時間が長くなる。長くゆるく吐く呼吸法が長寿によいというのは、古来言われていることではあるのですが、実践している中で身をもって感じるところでもあるのです。

ゆったりした呼吸法は「釈尊(しゃくそん)の呼吸法」といわれています。村木弘昌さんの『釈尊の呼吸法』（春秋社）という本に詳しく書かれていますが、釈尊は吐く息を長くするアナパーナ・サチという呼吸法で心身を整えたということです。

医学的にいうと、副交感神経を優位に働かせることによって、気持ちがリラックスして自律神経を整える、ということになります。これを続けていると、実際に気持ちが落ち着いてきますし、コミュニケーションでの反応もよくなってきます。

呼吸は、普段何気なくしているので、ゆったりした呼吸をするためにはそのための準備や「お膳立て」が必要です。ヨガや気功なども流行っていますが、意外なところでおすすめしたいのは尺八です。

以前、『題名のない音楽会』というテレビ番組で、尺八奏者の藤原道山さんとご一緒しました。そこで尺八についての話を聞いたのですが、尺八は、「臍下丹田」という臍のすぐ下あたりを意識して、「ふぅーっ」と長い息で吹くそうです。これは、まさに釈尊の呼吸法です。

なるほどと思いながら道山さんをよく見ると、とても若々しくてスリムな体型です。相当な体力を使う楽器なので、番組の後で食事に行ったときに、「食事はどのようなものを？」と聞いたら、「何でも食べますし、たくさん食べます」というお答え。お酒も飲むそうで、食事制限などはしていないと言います。

「それなのに、どうしてそんなにスリムなんですか？」と尋ねたら、「尺八をやってるからですね」。少し前に流行った「ロングブレスダイエット」のようなもので、ゆっくり大きく呼吸するのが体にはいいのかもしれません。

道山さんに、初心者用の尺八をプレゼントしていただいたので、私も少し吹いてみました。実際に吹いてみると、体の中が響くような、揺れるような感覚になります。**全身がゆるんで、長い呼吸ができるようになる。**この「尺八呼吸」を応用して「尺八呼吸ダイエット」ができるのでは、とひそかに思っています。

とはいえ、尺八を持っている人もそうそういないので、「尺八を意識した呼吸法」に挑戦するのがいいかもしれません。道山さんを見ていると、健康にもダイエットにもいいのではないかと思います。

私は今まで、「3、2、10の呼吸法」として、3秒吸って、2秒止めて、10秒吐くというのを実践していたのですが、ただ秒数を数えるだけではなく、尺八を吹いているイメージを持つといいかもしれないと思いました。

尺八はもともと、**自然の風の音**を目指しているのだそうです。竹林の中を吹き抜ける風、それが尺八なのです。ですから、尺八を真似（まね）すると、自分自身が風になったようなイメージが持てるのではないでしょうか。

それに、尺八を吹くイメージを持つと、体が楽器のように響き、それが全身に伝わる感じがします。体の響きがいいということは、反応がいいということ。自分の声も響きますし、相手の話している内容も体の中で響いて、それに対する反応がよくなります。

「打てば響く体」というのは、若々しい体です。そして、響く体は呼吸法で作られる。朝起きたときや、人に会う前に、尺八呼吸で体をゆるめておくと、イキイキとしたコミュニケーションができると思います。

テクニック 4 新聞を音読すると実用日本語が身につく

皆さんは、ご自身の日本語力について考えたことはありますか？

「日本人なんだから、日本語は話せている」「今まで会話で困ったことはない」と思っている人が大半でしょう。実際、「会話」に「文法」が必須かと言えば、そうでもありません。会話にはライブ感が必要なので、正しい日本語を話しているかどうかよりも、その場の雰囲気やノリで言葉を選ぶほうが、いい場合もあります。

ですが、一度はちゃんと日本語力をチェックしてみることをおすすめします。思っている以上に**言葉のムダが多かったり、間違った言葉の使い方をしていたりと、自分の日本語が崩れている**ということに気づけるからです。

よくあるのが、主語と述語の対応関係がないこと。「私は、私は」と言ったのに、その着地である「〜だと思う」とか「〜です」という述語がないまま「〜で、それで〜で」と延々と続いていくのです。話し言葉では、多少の乱れはかまいませんが、あまり耳についてくると、言いたいことが伝わらなくなってしまいます。

私は、雑誌や本の仕事で対談をすることがあります。話した内容が文字になって、その原稿をチェックするのですが、よく読んでみると、直さなくてはならないところが多くあることに愕然（がくぜん）とします。自分では、正しい日本語で、ちゃんとした文章で話しているつもりでも、文字に起こしてみるとできていないことがわかります。

養老孟司先生との対談原稿を読んだとき、養老先生の言葉がとてもきちんとした文章になっていることに驚きました。やわらかい口調で、ユーモアも交えて話をされていたのに、日本語としても正しいのです。自分の言葉はところどころ直さなくてはならないところがあり、「まだまだだな」と思ったものです。

日本語力を高めるためには、新聞の音読が効果的です。今の時代、新聞を音読するどころか、新聞を毎日読む人も少なくなっています。日本でも戦前までは、新聞を音読する人たちが相当数いたそうです。それが自身の勉強になるということが、わかっていたのでしょう。

新聞記事は、実用日本語で書かれています。**実用日本語とは、その言葉の意味するところがはっきりと1つに決まるもの。**解釈が1つに決まるのが実用日本語です。それに対して文学の日本語は、いろいろな意味に取れる複雑さを持っています。読む人によって、また読み方によってさまざまな解釈が生まれることが、文学の魅力でもあります。

ですから、意味が1つに定まる実用日本語、つまり**新聞記事を音読すると、頭がクリアになってきます**。ある事柄を、コンパクトに誤解なく言葉にするには、こうすればいいんだなということがわかってきます。

もちろん、普段の会話で新聞記事のような話し方をしたら、おもしろくもおかしくもありません。そこには「感情」の入る余地がないからです。それに、やりすぎると難しい話し方にも聞こえます。

ただ、あまりに崩れている自分の日本語を軌道修正するためには、ぜひやってみていただきたい。実用日本語の基本形を体に記憶させておくという意味で、新聞の音読をおすすめしたいと思います。滑舌よく読むというのは、注意力・集中力を要することでもあり、脳のトレーニングにもなるのです。

体も、しばらく動かしていないとうまく動きません。久しぶりにテニスやゴルフをしようものなら、あちこち筋肉痛になったり、ケガをしてしまうこともあります。毎日少しずつでも運動していることが大事なんですね。

それは頭、すなわち脳も同じ。毎日少しずつ頭を使うように習慣化すること。すると、いざというときにしっかり頭が働きます。その訓練として新聞の音読は、身近ですぐにできるのでおすすめです。

紙の新聞は、昔ほど読まれなくなっていますが、私は新聞が毎日配達されるシステムというのは、非常に重要なものだと思っています。脳を若々しく保つという点で新聞はとても有用なので、すばらしい福祉政策の一環と言っても過言ではないくらい。

今や、新聞もインターネットで読めるようにはなっていますが、高齢の方はやはり紙の新聞のほうがなじみがあることでしょう。紙のいいところは、まずは切り取って保存できること。そして、必要なニュースの隣に、まったく違う話題が載っていて、普段は意識しない話題に触れるチャンスがあるということ。社会面のニュースを読んでいて、たまたま隣に載っていた美術展の案内を見て「こんな展覧会があるんだ」と知り、実際に行ってみてとてもよかった、ということがありうるのです。それは、自分の興味や好奇心が広がるチャンスでもあるのです。

新聞の大切さを見直し、新聞を自分の日本語力向上に活用する。これは今の日本人に必要なことだと思います。

テクニック 5　緊張感を持って音読すると眠っていた力が出せる

私は仕事上、アナウンサーの方と一緒になることがよくあります。彼らは読むことのプロなので、とても滑舌がいい。いつも早口言葉を練習していて、言葉をとちったり噛(か)んだりしないように、常に緊張感を持っています。なおかつ、発音やアクセントにも気をつけています。そういう練習をして仕事に臨んでいるから、**頭もシャキシャキ回転する**のでしょう。

テレビ番組で、美しい日本語選手権の企画があったとき、草野仁さんと一緒に、私も審査員として呼ばれました。アナウンサーや役者の方たちが、「ボスニア・ヘルツェゴビナ」のように発音しにくい言葉がたくさん並ぶ文章を読んで、誰が最も上手に読めるかを審査するものでした。

難しいかなと思っていたのですが、皆さんとても上手に読むのです。よく見ていたら、今、口から発する言葉を目で追うのではなく、発している言葉の先へ先へと目線を動かしている。つまり、**今の言葉の次に言う言葉を頭の中で準備しているということ**。そのタイムラグを使って、間違えずに読んでいるんですね。

目で見ている言葉と口で言っている言葉が違うなんて、もはや「口で考えている」ようなものです。これは、日常的に訓練をして鍛えている人でないとできません。頭の回転が速いのもそのおかげです。

若々しい話し方をするためには、緊張感を持って話をすることが大事です。家族や知り合いと話すときは、言い方を間違えたからといって、責められることはまずありません。しかし、**適度な緊張感は、脳を若々しく保つ**有効な手段だと思います。

文章を音読するときには、ただ読むだけでなく、緊張感を持って、速く間違いなく読むことを課すといいでしょう。誰かに見せたり見られたりしていなくても、「速く間違いなく読む」と決めた時点で、緊張感は得られます。自分一人でやる課題でも、間違えるとイヤなもの。悔しい気持ちになります。スラスラ読めると、「自分もまだイケる!」と自信がついてきます。

緊張感を持って音読すると、自分の中で眠っていた力が目覚める感じがします。今までにないスイッチがオンになったような感覚が持てます。前項では、実用日本語を身につけるために新聞の音読をおすすめしましたが、緊張感を持って間違いなく読むという課題であれば、文学作品でもかまいません。古典、名作といわれているものはたくさんあります。これらを音読することで、作品の精神性が体内に流れ込んでくるという効果もあります。

『般若心経』を毎朝音読する方がいますが、これは若々しい話し方の練習であると同時に、精神を穏やかに保つことにもなっているのではないでしょうか。繰り返すことで、「ワザ化」していくとも言えます。

緊張感のある音読は、滑舌をよくするだけでなく、精神の安定や豊かさにもつながっていきます。そして、頭の回転がどんどんよくなっていくことも、実感できるはずです。

COLUMN

心にしみる『論語』の言葉

昔の日本人は、幼いときに『論語』の素読をしていました。これはつまり、子どもの頃から若々しい話し方の訓練をしていたとも言えるのです。

江戸時代の子どもたちは、寺子屋と呼ばれる学校のようなところで、『論語』を漢文で音読していました。今なら、高校の授業で習うような、レ点や返り点がついた漢文です。これを「素読」といい、この教育を受けたのが、幸田露伴や樋口一葉、森鷗外や夏目漱石、そして福沢諭吉。彼らは、漢文という、最も難しいものを幼少期に音読しているわけですから、それ以降に出あう文章はそれより簡単なものが大半なんですね。だから、彼らに共通しているのは、日本語力が強靭(きょうじん)であるということ。漢文を読むという経験が、一生分のトレーニングになっていたのではないかと思います。

例えば、若いときに十分な運動をしていた人は、生涯、体がしっかりしています。音楽の基礎を身につけた人は、年を取っても音感のよさは変わりません。これと同じように、言葉も基礎体力がついていると、何歳になっても言葉の力が衰えないのでしょう。

『論語』の素読は、今からでも遅くはありません。というのも、内容的には高齢になればなるほどよく理解できるものだからです。『論語』は、高齢になった孔子が、若い弟子たちに語った言葉。「あしたに道を聞けば、夕べに死すとも可なり」というように、死を意識して話しているところもあります。また、先生はとてもいろいろなことを知っていますねという弟子に、私はたった1つのこと、「恕（じょ）（思いやり）」を貫いているんだよ、と言う。長く生きた経験値を活かした見事な言行録です。

言葉と心を鍛える音読テキストには、ぜひ『論語』を！

第 2 章

〔話し方編〕

手短に、ポイントを絞って

テクニック 6 挨拶は着地点を作って1分以内に

ある程度の年齢になると、人前での改まった挨拶の言葉を求められることが増えてきます。典型的なのが、冠婚葬祭。日本人は年功序列を重んじる傾向にあるので、人が集まると、「では、年配の方から、何か一言お願いします」という雰囲気になるのも無理はありません。

指名されたからには、それなりの挨拶が必要です。結婚式の挨拶のように、事前に依頼されている場合はいいのですが、急に振られたときが問題。スピーチ上手な外国人のように、気の利いたジョークやギャグは言えなくてもいいですし、素晴らしい挨拶だったとほめられなくてもかまわないのですが、少なくとも「時間のムダだった」と思われない程度にはしたいものです。

人前でする挨拶は、一方的なものです。話す側が一方的に言葉を発するもので、「会話」というやりとりが発生しません。一歩間違えると押しつけがましくなり、「しつこい」とか「うっとうしい」と思われてしまう危険があります。そのことを肝に銘じておきましょう。

挨拶で気をつけたいことの1つ目は、**手短に済ませる**ということ。誰だって、長々と話をしようと思ってはいないのですが、実際話しだすと思っている以上に話が長くなってしまいがちです。

そもそも、始めから長く話そうとするなら、話の組み立てが必要です。起承転結や「フリとオチ」など、構成をしっかり作らないと、長い話は成立しないものです。もともと依頼されていたことなら準備もできますが、急な指名ではそうもいきません。いきなり話しだして意図せず長くなってしまうと、話に「アラ」が出てきます。

ここで言う「アラ」とは、同じ話を繰り返したり、途中で何の話か忘れてしまって言葉に詰まったりすること。それを聞いているほうは、「この人、大丈夫なのかな」と感じることでしょう。

よくあるのは、「せっかくだから、ある程度長く話さないと」という勘違い。「どうしてもこの人の話が聞きたい！」という場合は別ですが、冠婚葬祭などの形式的な挨拶では、**長く話せば話すほど嫌われます**。

それでも、比較的高齢の方は、長く話すことにこだわる傾向があるようです。

以前参加した会合で、ある方の乾杯の挨拶がありました。全員、コップを持って立ったまま15分以上が過ぎても、まだ終わる気配はありません。そのうち1人の方が、めまいがしたらしく倒れてしまいました。私の近くの方だったので、周りの人たちと介抱しました。何人かでバタバタと動いていたのですが、それでも挨拶は終わりません。これはさすがにマズイ。話の最中に倒れる人がいたら話をやめる、そのことにさえ気づかないというのは重症です。

このときに1つの教訓を得ました。**「長すぎる挨拶は事故のもと」**。そもそも、形式的な挨拶の場で、話が長すぎることに苦情は出ても、サクッと手短に終わらせた挨拶に対して**「短すぎる！」と文句を言う人を見たことがありません。**

特に乾杯の挨拶については、皆が待っている（待たされている）状態なので、短いに越したことはありません。私は、1分で十分だと思っています。

「3分スピーチの練習」というのがありますが、実際聞いていると3分はけっこう長く感じます。1分を目指しても3分話してしまうくらいなので、3分を目指したらさらに長くなります。「本日はお日柄もよく」から「それでは皆さん、ご唱和ください、乾杯！」まで、1分でいいのです。場合によっては、10秒、30秒で。それなら、コップを持ったまま倒れる人はいません。

気をつけたいことの2つ目は、「話の着地点」を決めておくということ。これは、最後におもしろいことを言って終わる「オチ」とは違います。もちろん、「オチ」をつけた話ができれば理想ですが、私たちは話し上手な芸人さんのようにはできないので、「オチ」を気にすることはありません。ここで言う**「着地点」とは、締めの言葉**です。

結婚のお祝いなら「本日は誠におめでとうございます」や「末長くお幸せに」、お葬式なら「故人のご冥福を心よりお祈りいたします」、会社の宴会での乾杯なら、「皆さまのご健勝を祈念して、乾杯！」「みんなでがんばりましょう、乾杯！」となります。

というのも、話し慣れていない人は、どこで終わったらいいかわからないまま話し続けてしまう傾向にあります。これは、老若男女問わずです。

「それでですね、……」「そうそう、そのときに……」と芋づる式に話が続いて、「……ということで、何の話でしたっけ？」となったら、まとめようがありません。なんとなく話が始まって、とりとめのない話になったとしても、終わりがきちんと締まっていれば聞いているほうは納得できます。**終わりのフレーズで、水**

道の蛇口をキュッと締めるようなイメージです。

アメリカのアップル社のスティーブ・ジョブズは、スタンフォード大学でのスピーチの最後に「Stay hungry, Stay foolish」（ハングリーであれ、愚か者であれ）と言いました。学生たちへの思いを集約したメッセージであり、象徴的な言葉です。これはある本から引用した言葉なのですが、締めの言葉は引用でもオリジナルでも定番でもかまいません。スティーブ・ジョブズのスピーチ自体もすばらしいのですが、最後の決めゼリフによってさらに話が締まって印象深くなっています。

一般の日本人は、スローガンのようなフレーズを言うのがあまり得意ではありません。ですから、先に述べたような「本日は誠に〜」「末長く〜」など、定番のフレーズを使うのがおすすめです。

謙虚さや改まった感を出そうとして「……、以上で私の挨拶と代えさせていただきます」というフレーズを使う人がいますが、これはあまりおすすめできません。なぜなら、感情を伝える言葉がなくて、どこか書き言葉のような感じがするからです。最後の締めなので、書き言葉のような無機質な言葉を使うと、それまでの挨拶全体の温かみもなくなってしまうように感じます。

そのフレーズで、お祝いする喜びの気持ちや亡くなって悲しい気持ちを伝えることで、挨拶全体の「温度」が決まってきます。ということは、それまでの話と論理的なつながりがなくてもかまわないのです。多少強引にでも、「……ということで、本日は誠におめでとうございます」と言ってしまえば、聞いているほうは「お祝いの挨拶」と受け取ってくれるのです。そのフレーズ単体で話の締めになるというのがポイントなのです。

急に指名されてもあわてず、最後に言うフレーズをまず頭に浮かべてから話しだすと、安心です。そして、1分で切り上げること。この2つができていれば、挨拶で「事故」は起こりませんし、時間のムダと思われることもありません。

テクニック 7 要点を整理すると言葉に詰まらない

人と話していて、「あ、今何か言おうと思っていたんだけど、度忘れしちゃった」ということがあります。「えーと、なんだったっけ……」と言いながらも、「そうそう」とすぐに思いだせれば問題はありません。とはいえ、会話というのは絶えず流れていくものなので、「なんだったっけ」としばらく考えていると、もう別の話題に移ってしまっていることがあります。

何気ない会話の中であれば、思いだせなかったとしても、「ごめん、思いだせない」で済ませることはできます。これが、人前で話をするときや、会議などで発言するときではそうもいきません。その先の話が続かなくなってしまうことも困りますし、「この人、どうしたのかな」と不安に思われるのも避けたいものです。

この場合、「本当に思いだせない」のか、「そもそも話すことを整理していなかった」のか、大きく2つにわけられます。ここで考えたいのは後者です。

度忘れするという方の話をよくよく聞いてみると、**始めから言いたいことを整**

理して準備していない人が多くいます。言いたいことはあるのですが、何と何を、どんな言葉で表現するかを事前に考えていないから、うまく話ができず、「言おうと思っていたことを度忘れしちゃった」と思ってしまうのです。これは「度忘れ」ではなく「準備不足」です。準備運動をせずにプールに飛び込むようなもので、まさに命知らずの無謀なチャレンジです。

どんなに話が上手でも、何の準備もせずにいきなり話せる人は、ほぼいません。校長先生や社長も、朝礼の前には話の要点を整理しますし、芸人さんは、プライベートで話してみて感触をつかんでからテレビで話をすることが多いそうです。

以前、演説についての本を手掛けたとき、私は世界のさまざまな演説を研究しました。事前に、草稿と呼ばれる下原稿を何回も何回も書き直した上で完成させ、それを大勢の人の前で「演説」として話すのです。もちろん、リンカーンの「人民の、人民による～」というのも、何回も書き直した末にできたものでした。また、クリントンも演説が上手な大統領でしたが、彼も専属のライターと何週間もかけて練り上げた内容を「演説」していました。そういう過程を経るからこそ、名言が生まれるのです。

ライブのように見えて、実は周到な準備の上に成り立っているというのが、演説なのです。欧米は「演説文化」ともいうべく、古代ギリシャ時代から演説が根付いていました。それでも準備を欠かさないのですから、演説に慣れていない日本人が、全くのノープランで挑むのは無謀以外の何物でもありません。

私は大学の授業でも、人前で話すための練習を取り入れています。学生たちはこれから社会人になると、自己紹介や改まった挨拶をする機会が増えてくるので、そのための訓練をするのです。

そこで重要なのが、何を話すかという準備。大統領の演説のように、長時間かけて練り上げることはできませんし、そもそもそこまでの必要はないので、短時間で簡単に準備できるようにします。そのコツは、**話す要点を3つに絞ること**。3つのうち1つは、具体的な自分の経験・体験を入れます。そして、締めのフレーズを決めること。この2つを準備するように伝えます。

短めにまとめるとしても、要点が1つではものの10秒で終わってしまいます。始めに「3つのことをお話しします」と言うと、聞いているほうも「3つのポイントね」と納得しやすくなります。2つでもいいのですが、「3」という数字は、バランスがよく安定しているというイメージがあるのです。

また、**自分の経験を入れ込むことも大切**です。一般論だけを3つ話しても、表面的な内容に聞こえてしまい、真実味に欠けます。そこに「私の体験」が入ることで、信憑性が増して相手に強く訴えるものになるのです。

授業では、例えば「この1週間で印象に残っていること」というテーマを挙げます。学生たちは、新聞やテレビで知ったこと、授業で新しく学んだこと、友人たちとの会話などから、みんなに伝えたいことを3点に絞ります。

ニュースや勉強のことは、その情報に触れる機会があればわかることです。でも、自分が体験したことや感じたことは、自分にしか伝えられません。3点すべてを自分の体験にしてしまうと、「自分色」が強すぎて、聞くほうはそれほど興味が持てません。3つのうちの1つを、自分の体験にすることで、客観と主観のバランスが保てるのです。

このとき、3つのポイントをわかりやすくはっきり打ちだすと、より聞きやすくなります。話し言葉では、「この間こういうことがあって、それでこう思って、それで……」と切れめなくダラダラとつながっていきがちなのですが、それを「ここでのポイントは○○です」と言い切るということ。これを意識するだけでも、ずいぶん聞きやすく、わかりやすくなります。

そういう準備をしてから発表してもらうと、人前で話すことに慣れていない学生でも、それなりのスピーチになります。また、繰り返し練習すると、みるみる上達します。余分なものが削げ落ち、重要なことがシンプルに伝わって、説得力のあるスピーチになるのです。

事前準備の段階で要点を3つに絞ったら、必ずメモします。特に、忘れやすいとか自信がないという方は、**メモは必須**です。

これは、忘れてしまったときに思いだすためのものでもあるのですが、それ以上に「書く」という行為そのものが大切なのです。文字を書くことによって、自分の目と頭に焼きつけることができます。忘れにくくする一番のコツは、書くという手の動きによって肉体に刻み込むことなのです。

若さを保つためには、どんなことでもメモをする習慣を持つといいのです。正しい文章でなくてかまいません。軽くメモする、という程度でいいのです。それだけで、脳の働きはずいぶん違ってきます。

私も、よく挨拶を頼まれることがあります。お通夜などでいきなり、「少しでかまわないので、故人との思い出をお話しください」と言われます。私は、大学で授業もしていますし、テレビのコメンテーターもしているので、比較的人前で話すのは慣れているほうですが、お通夜で急に頼まれると、無作法がないようにと緊張はします。ですから、そういうときはエピソードを３つ思いだして、頭の中にメモするようにして準備します。いきなり頼まれて焦ったとしても、３つに絞れば気持ちが落ち着きます。

話したいことが思いだせないということで悩んでいる人は、まず事前に軽くメモをしておく習慣を身につけるといいでしょう。また、人前で話すことになった場合は、要点を３つ、その中に１つ自分の体験を入れて準備をしておきます。これだけできれば、恥ずかしい思いをすることはありません。

テクニック 8 繰り返しを防ぐために頭の中にメモするように話す

前項のように、話す前にメモをするというのは習慣化すればできることです。また、聞いたことをメモしておくというのは、備忘録として普段からしていることと思います。

若々しい話し方のために、ぜひしていただきたいのが「メモしながら話す」ということ。これは、普段の会話ではまずしないでしょう。というのも、会話というのは「話す・聞く」で成立するものなので、ここに「書く」が入り込む余地はありません。「書く」に対応するのは「読む」であって、話し言葉と書き言葉は別物と考えがちだからです。

私が「書きながら話す」ことを推奨するのは、その場で思いついた「言いたいこと」を忘れないようにするためです。会話は常に流れていて、相手の話に刺激されて新たな考えやアイデアが浮かぶことが多々あります。そのスピードは自分が思っている以上に速くて、あっという間に浮かんであっという間に消えてしまうものなのです。

ですから、あることを話しているときに、何か思いついたことがあったら、すぐにメモします。そして、一区切りついたら「さっき、ちょっと思ったんだけどね」と言えばいいのです。もし、あとになってあまり重要なことではないと感じたら、消してしまってかまいません。あとになって消すことはできますが、書いていないものを思いだすのは難しいのです。

また、「話す・聞く」の中に「書く」が入ると、脳が今までとは違う働き方をします。２種類のアウトプットをしながらインプットをするのは、ジャグリングのような曲芸に近い感覚です。**脳を若く保つためのトレーニングにはうってつけです。**口と手を同時に動かすためには、脳がそれぞれの動きを指示しなくてはなりません。とともに、聞くための耳も働かさなくてはなりません。かなり、脳に負荷がかかります。平地のウォーキングから、坂道のウォーキングに切り替わるくらい労力の差があります。

簡単ではありませんが、これができるようになると、言葉を文字として意識する癖がつきます。話し言葉は口から出たら消えてしまいますが、書くと見える形で残すことができる。さらにこれが習慣化すると、メモする紙がなくても頭の中にメモをすることができるようになります。話していながらも、頭の中に文字がふっと浮かぶ。頭の中で文字化できるようになると、話す内容もおのずと整理されてきます。

同じ話を何度もしてしまうことを気にしている方は、けっこういます。年齢を重ねれば重ねるほど、その危険度は高まります。それを防ぐためにも、書きながら話す練習は効果的です。文字として意識できると、忘れにくくなります。あとになっても、文字として書いた内容については、往々にして記憶の片隅に残っています。

「同じ話をしてしまうことを、今すぐなんとかしたい」というケースもあるでしょう。「話しながら書く練習をしている時間はない！」という、切羽詰まった方。この場合は、きわめてシンプルな方法を2つご紹介しましょう。

1つは、繰り返しかもしれないと心配になったら、とりあえず「これ、この間話したかもしれないけど」と言っておくこと。これは私もよく使う「手」です。勤務している大学では、いくつも授業を受け持っているので、どこで何の話をしたか忘れることがあります。授業の本題であれば忘れませんが、その時々のちょっとした雑談まではなかなかメモしていられません。

話したか話していないか自信のないときは、とりあえず**「話したかもしれないけど」と言って話し始め、手短に済ませます。**ときには学生に「この話、したことあったっけ？」と聞くこともあります。「聞きました」と言われたら省けばいいですし、「聞いてません」と言われたら堂々と話せばいい。

ここでのポイントは、「私は同じ話をしないように気をつけていますよ」という気持ちが相手に伝わることです。節度といってもいいでしょう。話したかどうかは覚えていないけれど、そういう配慮だけは忘れていませんというメッセージです。

なぜこれが大事かというと、日本人は「それ、この間も聞きましたよ」となかなか言ってくれないからです。聞いたと思っても、指摘せずに黙って聞きます。いい人は、結末を知っているにもかかわらず、「えー！　それは大変でしたね」と、まるで初耳かのようにリアクションしてくれます。相手への気遣いができる、優しさの証明でもあるのですが、心の中では「また同じ話だな。ボケたのかな」と思っていることでしょう。そう思われないためにも、「気をつけていますよ」という気持ちを伝えておきます。

「口に出さないでくれるなら、どう思われてもいい」と割り切れる人はほとんどいないでしょう。口に出さなくても、憐（あわ）れみの気持ちで見られていると思ったら、いたたまれません。そう思われないように、「話したかもしれないけど」という枕詞（まくらことば）を積極的に活用していきましょう。

もう1つの方法は、**ついさっき仕入れたばかりの新情報を話題にすること**。テレビでもラジオでも雑誌でもかまいません。常に新しい情報を話題に取り入れるようにすれば、同じ話や古い話を繰り返すことはなくなります。

そもそも、繰り返して話すことが多いのは、新しい情報がないからなのです。ジュークボックスのように、ある程度の曲が入っているかもしれないけど、ラインナップが変わらないからだいたい同じような曲になってしまう。常に新しい曲を入れるようにすれば、必然的に古い曲はなくなっていきます。情報も、体と同じく「新陳代謝」が必要なのです。

たわいない話でも、「最近聞いた話だと……」と、最近起こったことや知ったことを話すようにすれば、繰り返しは確実に減ります。

もちろん、世の中には繰り返しに耐えられる話もあります。それは**古典的素養**。親鸞（しんらん）やブッダ、キリストや孔子の話は、何回繰り返して読んでも聞いても、いいものはいい。いろいろなところで引用されていても、「この前読んだよ」とは思いません。

私は『声に出して読みたい親鸞』（草思社）という本を書いたとき、親鸞の書物の中からいい言葉を100個選んだのですが、どこを読んでも「南無阿弥陀仏（なむあみだぶつ）を唱えることが大事、他力が大事」ということが書いてあるのです。親鸞が本当に大切にしている言葉はこれなんだと思って、しみじみと読みました。

なぜ古典的素養は繰り返してよいかというと、文化的価値が高いからです。飽きる・飽きないという基準ではなく、いつ何回読んでも「ためになる」言葉だからです。「1度聞いたから十分」という程度の情報ではなく、深い学びがある名言は、繰り返し大歓迎なのです。

『論語』についての本も何冊か書きましたが、『論語』も読むたびに気持ちが新たになります。10回読んでも20回読んでも、読めば読むほど自分の血肉になっていく感じがします。昔の人は古典の素読をしていました。素読とは、声に出して読むこと。毎日素読することが、勉強の柱であり習慣になっていました。素読では、同じ書物を何度も繰り返して読みます。暗誦（あんしょう）するくらいに読み込むことで、古典を学んでいくのです。

つまり、古典的素養とは、繰り返して読むことを前提にしたものだったのです。そのくらい、深みがあるということなのです。

同じ話を繰り返すなら、ぜひ古典にしましょう。誰からも文句は言われませんし、忘れっぽいとも思われません。むしろ、勉強熱心だと尊敬されるくらいです。学ぶことは、いくつからでも始められますし、いくつになっても必要なことです。

テクニック 9 時間を気にしながら話すと、キレがよくなる

会社勤めをしている人はもちろん、そうでない人でも、何人かで集まって会議や会合をすることがあるでしょう。基本的には、それぞれの意見を出して話し合うのが目的です。こういう場で、上手に意見を述べるというのもけっこう難しいものです。

最も多い失敗は、長く話しすぎてしまうこと。これは、前にも述べた改まった挨拶のときと同じで、話すことを事前に整理していないことが考えられます。意見なのかアイデアなのか感想なのか雑談なのか、本人もわからないまま見切り発車してしまうと、結局何が言いたいのかわからなくなってしまいます。

それとともに、時間感覚を持っていないことも原因として挙げられます。「ちょっといいですか」と言って話しだす人に限って、「ちょっと」で終わった例(ためし)がありません。本人は必死に話しているので、あっという間に感じるのかもしれませんが、要点のつかみにくい話を聞かされているほうは、永遠のように感じます。

会議のような場で発言するときは、**15秒以内に収めるように意識しましょう。**

私の経験から、15秒以内に発言を収めると、周りから嫌がられないで済みます。

話すときには必ず時計を手元に置きます。話している時間がどのくらいか、常に自分の目で確認しながら話すようにするのです。ちなみに私は、いつもストップウォッチを持っていて、自分が発言するときに時間をはかるようにしています。秒単位で時間をはかるには、ストップウォッチがおすすめです。

これは、時間をはかるのが目的ではありますが、最も大事なことは、話しながら時間を意識することです。必ずしも15秒で収まらなくてもいいのです。**15秒を意識するかしないかが問題なのです。**

時間の意識を持って話す人とそうでない人は、発言内容も変わってきます。短い時間の中で、要点をまとめてわかりやすく伝える努力をするようになるからです。

そして、「あー」とか「うー」といった余分な言葉を省いて、大切なことだけを歯切れよく、テンポよく話せるようになるのです。これができれば、若々しい話し方を維持できます。

私を含めて5人の講演者が話をするシンポジウムに出席したときのこと。持ち時間は講演者全体で15分と決められていました。つまり、１人当たり３分。

私の順番は５人目、最後でした。こういうのは少しずつ伸びるのが常ですが、このときは１人目から大幅に延長してしまいました。そうはいっても、15分という制限は変わりません。２人目も長い。３人目に入った時点ですでに15分経っていました。

運営スタッフの方が「齋藤先生、あまり時間がないので短めにお願いします」と言ってきたので、なんとかせざるをえません。ほとんど話す時間がないなと思っているところに、４人目の講演者が「えー、始めにいろいろ余分な話をしていると、えー、どんどん時間が経ってしまうので、えー、導入は割愛して本題に入ります」と言っているのが聞こえました。それだけで10秒は経っています。聞きながら、「それ自体が余分でしょ」と心の中で思いっきり突っ込みました。

開始から20分ほど経って、ようやく私の番が回ってきました。私はストップウォッチを使って２分で切り上げました。全体の時間を考えるのはマナーであり、話の技術でもあります。

話をするプロであっても、また時間制限があっても、話を短くコンパクトにまとめるのはなかなかできないものです。ですから、強引にでも時間に意識を向けさせるように時計やストップウォッチが必要なのです。この効果はすぐに現れます。時間に意識を向けるだけで、誰でも話す時間はずいぶん短縮されます。

何年か前に「レコーディングダイエット」という、体重を毎日記録することで痩せられるというダイエット方法がありましたが、原理としてはあれと同じようなものです。数字として可視化するだけで、減らしていかなくてはという意識が働くようになり、それにともなって行動が変わっていくのです。

15秒で話を収めようと思って話しだすと、余分なことは削ってどうしても伝えたいことだけを言葉にするようになります。もちろん、「えー」とか「あー」もなくすことができます。行動を変えたいなら、意識を変えることから始める。この場合、意識を変えるための道具が時計でありストップウォッチなので、積極的に使っていきましょう。

テクニック 10 言葉に詰まったときは、即座に相手に主導権を渡す

何かを説明しようと思うとき、自分の中ではよくわかっているのに、うまく説明ができないことがあります。これは、単に言葉が出てこないというのとは違って、言葉は出てくるけれど、適切な言葉をうまく選べないという状況です。

言葉が出てこないときは、「あー」とか「うー」とか言いながら詰まってしまうのですが、うまく説明ができないときは、むしろたくさん言葉が出てくることが多いかもしれません。

「○○に似てるんだけど、そうじゃなくて、△△のような感じもあって、□□と言ったらいいのかな、とにかく……」と、いろいろなたとえや言葉で伝えようとすればするほど、どんどん伝えたいことから遠ざかっていきます。

この場合、問題なのは、うまく説明ができないことよりも、**会話の主導権を握ったまま放さない**ことなのです。なんとかしてこの状況をクリアしようという気持ちはわかりますが、その責任感がアダになり、会話している相手にツライ思いをさせてしまうのです。

自分が主導権を握っている限り、相手はこちらのペースに合わせなくてはなりません。説明の言葉が出てこない間、ずっと待っているわけです。そういうときに、「この人と話すと苦痛だな」と思われてしまうのです。

そう思われないためには、うまく説明ができなかったら、さっさと主導権を相手に渡すことです。「○○に似た、こういうのってありますよね？」と言って、相手に投げてしまう。「ね？」と言って、同意を求めつつ相手に主導権を渡すのがコツです。

私も仕事柄、高齢の方とお話ししたり対談したりする機会が多いのですが、年齢が上がれば上がるほど、会話の主導権を握りたがる傾向にあるようです。つまり、相手の話を聞かずに、自分ばかり話してしまう。下手すると、会話全体の8割から9割は話していることがあるくらいです。でも本人としては、そんなに話している感覚はないのでしょう。そのことに気づけないと、半永久的に改善されません。

そういう人に限って、説明に詰まるんですね。会話はキャッチボールにたとえられますが、詰まったらこちらにボールを投げてくれればいいのに、ずっと頑なに持ち続けている。本人はもどかしいし、聞いているこちらはいたたまれなくなってきます。どちらにとってもいいことはありません。

年配の方が会話の主導権を持っているとき、若い人はそれを奪おうとはしません。日本人は、それを礼儀と認識しています。何かを説明しようとして言葉を探している間、もし自分で適切な言葉を思いついたとしても、「それってこういうことですよね」と言いだすことは、ほとんどないのです。実際はそれが助け舟になるはずなのですが、それを図々しいと思うのか、じっと待っていることを選びます。

今の若い人は、と否定的な言い方をされることもありますが、実際若い人たちはとても礼儀正しくて遠慮がちです。学生たちを見ていると、そう感じます。そして、こちらから投げたボールはちゃんと受け取って、返してくれます。そういうところを信頼して、**どんどん主導権を渡してしまうほうが、お互いのためです。**コミュニケーションは、相手とともに成り立たせるもの。主導権は随時入れ替わるものなのです。

なかなか話が進まないと、「どうしよう」「忘れちゃったのかな」という互いの思いがしみじみ伝わってしまい、沈黙の時間の中で、しんしんと不安が降り積もっていきます。

そんな切ない時間を過ごすよりも、思いきって相手に「○○みたいなことってありますよね？」と振ってしまいましょう。自分には思いつかない言葉や表現が出てくるかもしれません。それは「勝ち負け」ではないのです。むしろ、新しい視点をもらったと思って、次の会話に活かせばいいのです。

COLUMN

スピーチは「1分」または「15秒」

人前でのスピーチが苦手な人は、事前に本を読んだりして練習をすることがあるかもしれません。昔から「3分スピーチ」とはよく言われたもので、その手の本もたくさんありますが、私の経験から言うと、「3分」はかなり長い。「3分クッキング」と言われると、「すごく短時間の料理」という印象ですが、「3分スピーチ」は実際聞いてみると、内容によっては退屈してしまいます。

挨拶でもなんでも、1分以内に収めたものは、どんな内容でも喜ばれます。おもしろかろうがそうでなかろうが、人間の感覚として「1分＝短い」なのでしょう。私もたくさんの人を前に話すということを、何千回、何万回としてきましたが、他人の挨拶に関しては、人の我慢の限界は1分です。

スピーチの練習をするなら、1分で話すことを目標に、最後の締めのセリフをしっかり用意して始めましょう。これができれば、どんな内容を話したとしても大怪我は避けられます。

ですが、結婚式や宴会の乾杯の挨拶はもっと短くていい。1分を超えたら非常識なくらいです。名前を呼ばれて「では、」と話し始め、「では、皆さんご唱和を」を入れて20秒。つまり、中身の話は正味15秒です。

この場合、「今回は乾杯が早くてよかったな」というのが出席者の感想。主催者は「また機会があったら、この人に頼もう」と思うはず。これも、私の経験と実感に基づいています。

それに、挨拶を簡潔に済ませる人は、老けているようには見えません。なぜなら、短すぎてアラが出ようにも出ないからです。

1分と15秒の2パターンをクリアできれば、どんな挨拶の場面でも困ることはありません。

第3章

〔聞き方編〕

体全体で共感しながら聞く

テクニック 11 体全体で反応すると「覇気」のある会話になる

コミュニケーションは、「話す」と「聞く」で成り立っています。つまり、「話し方」を考える上では、「聞き方」を外すわけにはいきません。

上手に話せないと悩む人は、話し方を練習するだけでなく、聞き方に気をつけることも大切です。というのも、正しく聞けていないから上手に話せないということがあるからです。「会話」というキャッチボールは、ボールをきちんと受け取って、相手に返すもの。変な体勢で受け取ったまま投げ返したら、とんでもない方向に飛んでいってしまうのも無理はありません。

そう考えると、「覇気がない話し方」があるように、「覇気がない聞き方」もあります。話を聞いている様子を見て「覇気がないなぁ」と感じるのは、「反応がない」ということ。これは、「反応が薄い」ということでもあります。

人は話を聞いているとき、どんなにじっとしていても自然と体が反応するものです。試しに、誰かが自分に向かって話しているとき、まったく体を動かさず、もちろん頷き(うなず)もせず、心の中だけで「なるほど」とか「へぇー」と相づちを打ちながら聞いてみてください。けっこうツライものです。「なるほど」と思えば「なるほど」という反応をし、「へーぇ」と思えば「へーぇ」という反応をする。それが人間なのです。

ですから、話を聞いているときに、心で感じ、頭で理解すると、体はそのように動きます。ということは、感じる・理解する力が弱っている（鈍っている）ということになり、「覇気がない」と思われてしまうのです。

会話をしていて反応のない人を見ると、「固まっちゃってるな」と感じます。鈍いということもありますが、心も頭も体も、すべて動かすのが面倒になっている感じがします。また、本人としては反応しているつもりでも、周りにはそうは見えないということもある。自分でそのことに気づかないでいるのは、**二重の意味で「鈍い」**ことになるので、なんとかしなくてはなりません。

よく、高齢の方で、「言っていることがよく聞こえなくて（わからなくて）、何度も聞き返してしまうんです」と悩む人がいるようですが、「反応」という点で言うとそれほど問題ではありません。聞き返すということは「聞きたい」「知りたい」という意思表示（反応）なので、話すほうとしてイヤな気分にはなりません。むしろ、「一所懸命に聞いてくれるから、もっと話したい」と思うでしょう。

会話での反応が薄いというのは、実は、高齢の方に限ったことではありません。若い人たちも同じです。大学で授業をしていると、聞いているのかいないのか、わかったのかわかっていないのか、おもしろいのかおもしろくないのか、彼らの反応がなかなか伝わってきません。次の授業までの課題を出しても、それについての質問や反応はあまりありません。大丈夫かなと思うと、課題はちゃんと提出します。

大学の授業では、やることをやってくればいいのですが、社会に出るとそうはいきません。上司や先輩に対して「はい！」と覇気のある返答をしなくては、どんなに仕事をこなしても「やる気のないヤツ」とみなされてしまいます。ですから、学生たちには「自分が思っている3割増しで反応する」ということを教えています。少しオーバーに感じるくらい、元気よく大きな声で返事をする練習をするのです。それだけ、会話の中で相手の話に反応することは重要だということなのです。

会話で「薄い反応」しかできなくなると、次第に話しかけられることが少なくなります。なぜなら、話しかける側が疲れてしまうから。「今言ったこと、意味わかりましたか？」と確認しなくてはなりませんし、「もしかしたら、つまらないと思っているんじゃないか」と心配しなくてはならない。面倒で疲れるような相手とは、話したくなくなります。

若いうちは、日々いろいろな人と会い、また新しい出会いもたくさんありますが、退職後などはそういう機会は減っていきます。ただでさえ機会が少ないのに、さらに話しかけられなくなったら、**寂しい毎日**を送ることになってしまう。

それを避けるためにも、会話の反応をよくしていきましょう。

私がおすすめしたいのは、体全体で反応する聞き方。「うん」と頷くだけでなく、「あっ、そうだね」と手を叩いたり、「わかる、わかる」と上半身を揺らして同意したり。笑顔にしても顔だけで笑うのではなく、ちょっとのけぞってみたり、手を叩きながら体を曲げてみたり、全身で笑っているように見えるのが理想です。

聞き方の反応がいい人というのは、自然と人気者になります。以前、大学のコミュニケーションの授業で、次々と人を変えながら話していくということをやりました。終わったときに、「誰が一番話しやすかったか」と聞いたら、ある女子学生に集中しました。彼女はまさに、体全体で聞く人なのです。それに、よく笑う。笑って頷いて、体全体でその話に反応する。みんなから**「リアクションの女**

王」と呼ばれるようになりました。

ヨーロッパ系の人、特にイタリア人を見ていると、身ぶり手ぶりが目立ちます。テレビによく出るジローラモさんも、体の動きが大きい。ですが、わざとらしい感じはしません。一方日本人は、比較的おとなしめなので、オーバーアクションは苦手です。イタリア人ほどでなくても、少し意識的に反応を大きくしていくほうがいいでしょう。

ちなみに、Eテレのイタリア語講座（『旅するためのイタリア語』）に出てくる日本人の先生は、たいていイタリア人のようにアクションが大きい。それだけ体ごとのコミュニケーションが必要だということです。

リアクションする際に注意しなくてはならないのが、機械的にならないこと。いつも同じ反応をしたり、一定のリズムに沿って動いたりすると「本当に聞いているのかな」と思われ、不審がられてしまいます。

ポイントは、内容に合わせて、しなやかに反応するということ。反応のいい聞き方は、話す人の言葉や気持ちに沿って、うまい「合いの手」を入れること。おもしろい話には大きく笑い、深刻な話には重く頷く。そういうライブ感のある反応がいいのです。

人には個性があり、会話のスタイルがあるので、自分にとって心地いい反応を探っていきましょう。明るい印象を与えるためには、**体の動きは少しくらい大きめでもいいと思います。**アクションが大きいほうが、元気よく感じられます。

「話しながら手が動いてしまう」という人がいますが、これはこれで自分のスタイルとして持っていればいいことです。身ぶり手ぶりばかりでなかなか言葉が出てこない人もいますが、周りの人は楽しく見ているので、これもいいと思います。本人の元気さが周りに伝わり、みんなを楽しくするのも魅力の1つです。

若い人も高齢の人も、3割増しで反応する聞き方を意識すると、あらゆる場面での会話が盛り上がるのではないでしょうか。

テクニック 12 リアクションがいいと相手は喜んでくれる

　前項で「反応を大きめに」という話をしましたが、さらに追求するなら、相手を尊重するような反応の仕方を取り入れることをおすすめします。それができると会話がより盛り上がりますし、相手の満足感も大きくなります。

　特に人前で話すのが仕事ではない人でも、とても話し上手な方がいます。高齢の方ですと、含蓄のあるお話をされる方も多くいます。ところが、ご自身の話や、ある程度まとまった話をすることは上手なのですが、**質疑応答になったとたん、ぎこちなくなる**ケースがあります。聞かれたことがよく理解できなかったり、すぐに反応できずに考え込んでしまったりと、時間が空いてしまうんですね。たしかに、予想外のことを聞かれたらやむをえないのですが、あまりにシーンとした時間ばかりが経つと、「この人、大丈夫かな」と心配されてしまうことがあるのです。

　これは、人前で話すときに限りません。普段の会話でも、相手に何かを聞かれて黙り込んでしまうことはあります。すると、そこで会話はストップしてしまう。

何を答えていいかわからないときこそ、相手からの問いに対する反応が大切です。

言うべきことが見つからないと思ったら、それを探す前に、まず相手の言葉への反応を大きくしておくのです。「いやぁ、鋭い質問ですね。そんなこと考えてもみませんでしたよ」「なるほど、そういう考え方もありますね。さすがですね」と、相手に返す。質問してきた相手を尊重することにもつながり、一種のサービスでもあります。これは、人前で話すときも、普段の会話でも同じです。

質問に対してすぐに答えることも大切なのですが、その前に、**私に質問してくれたあなたの言葉・存在を受け止めましたよ**という合図として、反応をするということ。これがコミュニケーションというキャッチボールでは重要なのです。

私も、いろいろな場所で質問をされます。答えやすい質問のときは、「ああ、それはですね」とすぐに話せるのですが、そうでないものやあまりに意外な角度から質問されると、一瞬ぐっと詰まることがあります。ですが、その場のノリやリズムを崩したくないので、「その視点はユニークですね！」と大きく反応した上で、「ところで、あなたはなぜそう思われるようになったんですか？」と相手に振ることがあります。相手がこれこれこうでと話している間に、自分とどう関連づけるかを考えつつ、話の引き出しを探ります。そして、相手の話が終わったら、「なるほど、そういうことなんですね。実は、私はですね……」と自分の話をするようにします。質問の意図がわからず的外れな答えを言うよりはいいですし、質問してくれた相手を尊重しているという点で、会話が円滑に進みます。

コミュニケーションにおいて、上手に話せることだけでは不十分。相手の球をきちんと受け取って、その勢いに乗せて球を返していく「やりとり」ができるようにしたいものです。

例えば、2人で1本の棒の両端を持っているとします。相手がぐっと棒を突いてきたら、こちらはひょいと引きます。その引いた反動で、今度はこちらが突いていく。

そんな「押しつ押されつ」のような感じがコミュニケーションです。互いに突いてばかりでは成立しません。**相手が突いてきたら、それをちゃんと引いて受け止める。**それが「反応」であり、相手へのサービスなのです。

反応とサービスという話でいうと、大阪の人たちはそれがとても上手ですね。よくテレビでもやっていますが、大阪の人に刀で斬るマネをすると、たいていの人は「やられた〜」と言いながら倒れてくれるといいます。私も、大阪で学生たちを集めて講演会をしたときに、「刀で斬るっていうの、やってみたいんだけど」と言ったら、「そんなん、無理ですよ」「できませんわ」と言いながら、30人くらいの学生たちがバタバタと倒れていきました。半数くらいは女子学生で、きれいな格好をしていたのですが、床に倒れ込む迫真の演技でノッてくれました。「できませんよ」という前振りをした上で、思いっきり倒れてくれる。サービス精神が旺盛です。予定調和でわかりきっていることでも、大きく反応してくれると、コミュニケーションとして盛り上がります。

　また、大阪で『カラマーゾフの兄弟』を宝塚歌劇団の方たちと朗読するというイベントがありました。せっかくなので、集まってくれた宝塚ファンのおばさまたちにも参加してもらったのですが、皆さんの朗読がとてもうまい。**感情を込めて、その役になりきっている**んですね。感情の中に体が入り込んで、一体化する。だから言葉の1つ1つがとてもイキイキしてくるのです。もちろん、サービス精神もあってのことでしょう。豊かな表現力で朗読する方たちを見ていると、若々しさのかたまりのようでした。

　私は、反応する体の原点は、神話の神々にあるのではないかと思っています。

以前、宮崎で『古事記』の講演会がありました。宮崎は神話の故郷でもあり、『古事記』の神々が降臨した場所ともいわれています。宮崎の日向が舞台になっている『日向神話』というのもあります。

「天岩戸」の神話の中に、隠れてしまった天照大神を引き戻すために、神々が踊りながら笑うというシーンがあります。天照大神は、岩屋の中に隠れて楽しげな様子を聞きながら「世の中は真っ暗なはずなのに、どうしてこんなに笑って踊っているんだろう」と不思議がります。あまりに不思議で、「なにがあるのだろう」と思って岩戸を少し開けてしまい、引き戻されるという有名な話です。このときおもしろい踊りをしたのは、アメノウズメという女の神で、今、芸能の神として祀られています。

日本だけでなく、古代ギリシャでもそうなのですが、神話に出てくる神様たちは意外にアクティブなのです。派手で荒々しいところもありますが、実に生命力にあふれている。そのくらいでないと、国造りはできないともいえます。

踊る神々の話から、神の音楽、神楽が生まれるわけです。神楽は、神を祝うための音楽、祝祭的な意味合いのものですが、神楽と踊りによって神様と人間とのコミュニケーションが成り立っていたのです。つまり、**コミュニケーションには**

踊りや体の動きが重要だということは、神話の時代からあったことなのです。

祝祭といえば、神輿（みこし）も体を使います。みんなで息を合わせて神輿をかつぐ。息を合わせて同じ動きをするためには、やはりコミュニケーションが必要です。神輿をかついでいるときは、言葉こそ交わしませんが、活気のあるコミュニケーションが成り立っていて、参加する人たちにも熱気があり、イキイキしています。

つまり、「祭りの体」がコミュニケーションするときの体のありかたとして大事なのです。若返る会話術には、「祭りの体を取り戻そう」というスローガンを掲げたいと思います。

踊らないまでも、体を温めておいて、イキイキと動かせるようにしておきましょう。

話すことと聞くことには、体を動かすことも含まれますので、日頃から意識しておくことが大切です。

テクニック 13 相手の会話のキーワードを見つけて軽く驚く

話を聞くときの、最もシンプルな反応は相づちです。相づちなんて単純すぎて、バリエーションなどないと思うかもしれませんが、単純なことにこそ違いが現れるものなのです。

実は、相づちにも年齢が出ます。この項では、「若々しい相づち」の方法をご紹介しましょう。

1つ目は、相手の話のキーワードを活用すること。相手が話したことの中から、核になる言葉、つまり「キーワード」を探しだして、それを相づちとして使うのです。念押しみたいなものですが、単に言葉を繰り返せばいいというものではありません。そのキーワードの選び方が重要なのです。

簡単な会話でいえば、こんな感じです。

「○○さんに頼みごとがあってメールしたんだけど、返信が来たのが1カ月後だったんですよ」

「えーっ？　1カ月後ですか？」

この場合、話題になっているのは「○○さん」「頼みごと」「メールした」「返信が1カ月後」です。そして、この話のポイント、つまり「何が言いたくて話したか」は、「返信が1カ月後だった＝返信に1カ月もかかった」ということ。ですから、「えーっ？　1カ月後ですか？」という相づちは正解です。

話した側がわかってほしいポイント、**反応してほしいポイントを押さえた相づちができた**ということになり、「ちゃんと聞いてくれてるな」という印象になります。

この会話に関しては、比較的キーワードが見つけやすいと思います。返事が遅くなったということ以前に、「えーっ？　○○さんに頼みごとをしたんですか？」ということに反応するケースは、まずないでしょう。こうなってくると、年齢がどうこう以前に、日本語力の問題です。

キーワードが押さえられれば、「えーっ？　1カ月後ですか？」のあとに、「それはいくらなんでも時間がかかりすぎですよね」「そうでしょう？　さすがに待っていられなくて、ほかの人に相談したんですが、これがまたいい人でね、……」と話が進展していきます。ここまでいくと、自然に話が展開していき、盛り上がることでしょう。

「相づち」というと、「へえ」とか「ほお」という、感嘆詞をイメージするかもしれませんが、それだけではありません。相手の話した内容のポイントをつかんで、その言葉を使って反応する、つまり**「要約力」**が**「若々しい相づち」**の**1つ**目です。これは、複雑な話になればなるほど、高度な能力が必要とされます。

例えば、こんな話を聞いたとします。

「この間、ネット通販で本を買ったんですよ。古本が1冊1円だったので、ラッキーと思っていろいろ探して、全部で5冊買ったんです。送料が250円かかるのは知っていたので特に問題だと思わなかったんですが、あとからわかったのは、1冊あたり250円の送料がかかるということ。つまり、本代は全部で5円なのに、送料だけで1250円、合計1255円かかったんです。もう、びっくりですよ！」

この場合、話の合間にはさむ相づちとして、いくつかのパターンが考えられます。「ネット通販なんてやるんですか？」「今は1冊1円なんていう古本があるんですね」という反応もあれば、「送料は250円なんですね」「5冊もどんな本を買ったんですか？」というのもある。「本は1円なのに、送料は250円もするんですね」というのもある。

どれも間違いとは言えないのですが、「要約力」「若々しい相づち」という観点からはズレています。

この話のポイントは、同じところからまとめて購入したのに、1冊ずつ送料がかかるという理不尽さです。その理不尽さに共感してほしくて、この話をしているわけです。だから、要約力の高い相づちとしては、「まとめて頼んでるのに、1冊ごとに送料がかかるなんてねぇ。送料一括で250円だと採算がとれないんでしょうか」というもの。これは、単なる相づちにとどまらず、すでに会話としてのやりとりが発生しているという点で、**高度な相づち**です。

もっと言うと、「はあ、1円に対して250円の送料っていうことは、商品価格ではなく送料で儲けているんでしょうかね」となれば、「でも、そのくらいしないと、古本のネット通販なんて儲からないんですかね」と、さらに話は広がります。

話の内容がシンプルな場合は、キーワード選びも簡単ですが、複雑な内容になればなるほど、理解力と要約力、そしてすぐに反応する瞬発力が求められます。

ここまで、話の聞き方についていくつか述べてきましたが、**最もよくない聞き方は、話を止めてしまうもの**です。もうそれ以上、話が続けられない、そう言われちゃったらどうにも反応しようがないというもの。典型的なのは、「ああ、そうですか」「ふうん」など。気を利かせておもしろい話をしたつもりが、吸水力の高いスポンジに吸い込まれるようにして終わってしまう。これではコミュニケーションになりません。

要約力の高い相づちは、「あなたの話をちゃんと聞いてますよ」というメッセージと、「それを踏まえて次の話へ」という会話の流れを同時に作るものです。それをまず意識して相づちを打ってみましょう。

若々しい相づちの2つ目は、「軽く驚く」ということ。「あっ!」「ええっ⁉」「へぇ!」など、まず始めに、聞いた話に対して若干驚いた反応をすると、イキイキしている感じが出ます。覇気がないと見られるのは、反応が薄く鈍いこと。ですから、軽く驚くことによるイキイキ感は、とても重要です。

以前、『トリビアの泉』というテレビ番組がありました。ささいなことではあるけれど、知られていなかった事実について、その意外性を「へぇボタン」で採点するというもの。しばらくの間「へぇー」がブームになりましたが、「へぇー」には「驚き」＋「感心」＋「納得」という、三つの要素があります。

言い換えれば、「へぇー」という相づちには、相手の話に驚くだけでなく、「すごいなぁ」という感心と、「なるほど」という納得のニュアンスが込められているということ。これを相づちとして使えば、言われた相手は気持ちよくなります。

ですが、「へぇー」だけで終わってしまっては、話が続きません。「へぇー、そんなことがあるんですね。それで結局どうなったんですか？」とか、「へぇー、そんなに送料がかかるなんて、ヒドイ話ですよね」と**相手にパスを返すような言葉をつなげると**、「そうなんだよ、本当にヒドイ話でさ。だから別のサイトを見て比較してみたんだよ」「ああ、それはいいですね。それで、どうでした？」というふうに、どんどん会話が回っていきます。

相手の話をうまく要約した言葉を返しつつ、軽く驚く相づちを打っていくと、話の腰を折らずに、どんどん会話を続けることができます。これができれば、「若々しい相づち」の達人です。

テクニック 14 話している人にヘソを向けて聞く

話を聞くときは、体の使い方にもコツがあります。1対1で話しているときは、面と向かっているのでさほど気にしなくてもいいのですが、複数の人と話すときは、「1人1人の話をちゃんと聞いていますよ」ということを、体でも伝えられるといいでしょう。それによって、**「この人はちゃんと話を聞いてくれている」**と思われるようになり、イキイキと若々しい印象にもなります。

複数の人と話をするときは、次々に話し手が変わっていきます。そんなとき、話している人のほうに全身を向けるようにするのです。もちろん、体の向きを話し手に向けるということではあるのですが、いざとなるとスムーズにできないもの。

だから私は、ちょっとオーバーな言い方をして「ヘソを向ける」と説明しています。ヘソの向きを変えようとすると、上半身全体が動きます。ヘソを向けながら顔を背けたりするのは難しいですよね。そして、話し手にヘソを向けようと思いながら話を聞いていると、スッスッと体が動くたびに、「聞く意識」がはっきりしてきて、「聞く構え」ができてきます。これはまさに「若々しい聞き方」です。

つまり、自分自身の中で、聞くという行為の意識づけができるのです。**聞くという受動的な行為の中で、能動的・積極的な意識が芽生えてくる。**聞く人がそういう姿勢でいると、話すほうも心地よくなります。

私は、この聞き方を就活している学生にもすすめています。就職面接では、たいてい面接官は複数います。もちろん、こちらが答える内容が重要ではあるのですが、的確な答えをするには、正確に話を聞くことが大切。それに、話をきちんと聞けないような人は、まず採用されません。

面接官が何か質問をしてきたら、まずヘソを向ける。別の人が口をはさんできたら、今度はその人にヘソを向ける。緊張していても、まずはこれがきちんとできれば、相手の印象はよくなると言っています。集団討論をする場合も、話者に体全体を向けて聞く。

学生たちは、割と素直に実践しているようで、ある学生は、就職が決まったとき、「先生！　先生に教えていただいたヘソを向けるという聞き方、面接でちゃんとやりましたよ。そのおかげで受かったようなものです！　ありがとうございました」とわざわざ報告に来てくれました。ヘソを向けたことが決定打になったかどうかはわかりませんが、少なくとも面接官にいい印象を持たれたことは事実だろうと思います。

相手に意識を向けるという点では、アイコンタクトも効果的です。これはどちらかというと、聞くときより話すときに功を奏します。相手が1人ならいざ知らず、複数の人を相手に話すときは、できるだけ均等に目線を配るのが大切ですが、実際にはけっこう難しいものです。どうしても、一番目線を合わせやすい人や、一所懸命聞いてくれている人に向けがちだからです。

意識的に練習するとしたら、1人当たり2秒ずつ見るようにするといいでしょう。1秒だと短すぎますし、5秒は長すぎます。心の中で1、2と数えたら次の人に目線を移すというふうにしていくと、自然にそういう習慣が身につくようになります。

日本人は、アイコンタクトが苦手です。日本の社会では、人をじっと見ること、特に目上の人をじっと見ることが失礼にあたるとされてきたからです。時代劇などを見るとわかりますが、身分の高い人と会話するときは、膝をついて体を低くし、目線を下に落として目を合わせないようにしたものです。その名残もあり、日本人は目線を合わせて話をするのがあまり得意ではないんですね。

海外生活から帰ってきた友人に久しぶりに会ったら、ものすごくアイコンタクトが強くなっていて驚きました。海外では、人と目線を合わせることが礼儀なのでしょう。彼は、もともとはアイコンタクトが得意な人ではなかったのですが、しっかりと目を見て話しかけてきたので、こうも変わるものなんだなと思いました。ということは、日々の習慣によってアイコンタクトもできるようになるということです。

目線が合うというのは、実はとてもうれしいこと。以前、宝塚歌劇団の公演を観(み)に行ったことがあるのですが、公演中、**何度となくステージの役者さんと目が合ったよう**な気がしました。これだけたくさんの観客がいるので、気のせいかなと思っていたのですが、ちゃんと私を見て目を合わせているのです。

公演後、男役のトップスターの方と話をしたら、観客の1人1人となるべく目を合わせようとしているとおっしゃっていました。漠然と観客席を見ているのではなく、全部の席を見ようとしていると。それは、「1人1人とつながっていますよ」という気持ちの表れなのだそうです。だから、どんなに遠い席の人でも、

「私を見てくれた」と感じるのです。

公演を観るだけでも満足ですが、憧れの役者さんが自分を見てくれて、目が合ったとなれば、感動と喜びは倍増します。アイコンタクトは、気持ちが通じていることの証（あかし）。コミュニケーションにおいてアイコンタクトが大切なのは、言うまでもありません。

真剣に聞いてくれない人や、興味がなさそうにしている人に対しても、アイコンタクトは効きます。500人くらいが入れるホールで講演会をすると、中には奥さんに無理に連れて来られたご主人とか、知り合いに誘われて義理で参加する人などがいます。そういう人はもちろん、講演会自体に興味があるわけではありません。ですから、ぐったりした感じで眠りに入ろうとしていたり、あるいは、落ち着きのない様子でソワソワしていたりします。

私はあえて、そういう人に意識を向けて、「お疲れの方もいらっしゃいますよね」とか、「午後のこんな時間だと、眠くなりますよね」と言って、目を合わせて話しかけるようにしています。すると、だんだん体を起こして聞く態勢になってきます。

これは、「注意されたから起きなきゃ」ということではなく、「自分に意識を向けられたから、自分も相手に意識を向けよう」ということなのです。

「目をかける」という慣用句がありますが、話すときに、相手との間に「視線の糸」を張ると、その糸に引き寄せられて相手の目線と意識が目覚めるということ。ですから、話を聞くときも話をするときも、相手が1人であっても大勢であっても、意識を向けて目線を合わせることが大切なのです。

若々しい話し方や聞き方で大事なのは、**ぼんやりしがちな意識を、くっきりとさせて目覚めさせること**。人と会話をすることで意識がはっきりして、イキイキしてくる。すると、ぼんやりしなくなりますし、ストレスも軽減されます。体や目線にも注意しながら、会話を楽しんでいきましょう。

テクニック 15 テレビから新しい情報を得ると話題に困らない

「話の聞き方」という中ではちょっと応用編になりますが、本項では、情報を得るための方法についてお話ししたいと思います。

ボケないための情報収集に関して、私が推奨しているのはテレビを見ること。テレビ番組というのは、まさに「今」を映しだすものであり、現代に生きている感覚を失わないためには、非常に有効なツールなのです。情報収集という点では読書もおおいにすすめていて、例えば『論語』などはいつ、何回読んでもいいものだと言っているのですが、これだけでは現代的な感覚が身につかない。何といっても2500年前のものですから。

『論語』の時代から長い時間を経て、さまざまな歴史の転換点があり、今に至っています。つまり、その時代の空気、今の空気というものがあるのです。コミュニケーションでは、時代の空気を感じることが大事。ですから、テレビを見ていると、自然に今の空気を感じることができるのです。

ニュース番組でアナウンサーが原稿を読むスピードも、時代が進むにつれて、明らかに速くなっているそうです。ある程度スピードを上げて読んだほうが、現代人には聞きとりやすくわかりやすいからなのでしょう。もし、昔の人がタイムスリップしてきて、今のニュース番組を見たら、何を言っているのか聞きとりにくいでしょうし、同じ日本語とは思えないかもしれません。

今はスピード重視の時代。今の60歳の方が昔の60歳より若く見える要因として、1つにはコミュニケーションのスピードがあると思います。食べものや生活習慣ももちろん大きく関係しますが、話すスピードが速いと、それに応じて頭の回転も速くなるので、テンションが高くなって若々しくなるのでしょう。

教員をやっている中には高齢の方もいらっしゃいますが、**速く話す人というのは、年齢を感じさせません。**話すこと自体が頭の体操になっていて、常にテンポよく話すことで自分の頭の状態を高速に保っているのだと思います。

テンポよく話すためには、テンポのいい話し方とはどんなものであるかを知る必要があります。そのために、時代の空気を映しだすテレビが欠かせないのです。

高齢でもテンポよく話す方の好例が、黒柳徹子さん。私は『徹子の部屋』にも2度ほど出演させていただいたのですが、黒柳さんは毎回必ず、話す内容を手書きした紙を用意されています。しっかり準備をされますが、準備した通りに話すわけではありません。相手の受け答えを見ながら、適宜話題を振っておもしろく話を進めていきます。

黒柳さんのトークショーもとてもおもしろい。芝居を2時間くらいやったあと、トークショーをするのですが、疲れているはずなのにテンションが高くて話が止まらない。ユニセフ大使の話とか、テーマはきちんとしているのですが、ユーモアがあって笑いが絶えません。黒柳さんを見ていて感じるのは、**好奇心が旺盛で、興味を持ったものにはすぐに反応する**ということ。それが、ご自身の話のテンポにもつながっているんですね。

芸能人だから特別と思わずに、こういう話し方ができるのはなぜだろうと思いながらテレビを見ていると、自分にもできることが見つかってきます。あるいは、「よくこんなにポンポン話せるなぁ」と感心するだけでもいい。「この人の話し方、上手だな」と感じるということは、何がテンポのいい話し方なのかがわかっているということ。「うまいな」と思って見ているだけでも、少しずつテンポ感は身についてきます。これがテレビから学ぶということです。

テレビは、「ネタの宝庫」でもあります。テレビ番組の仕事をしていて感じるのは、作り手は、膨大な情報量の中からおもしろいものや珍しいものを厳選して番組を組み立てているということ。そういう点では、非常に優れた情報提供メディアなのです。

私は、ものすごくたくさんのテレビ番組を見ています。よくそんなに時間がありますねと言われますが、仕事が終わったあとで、本を読みながらBGMのように流したり、情報番組であれば録画して内容が聞きとれるくらいの倍速にして見ています。すると、1時間番組でも30分くらいで見終えることができます。そして、気になったことやおもしろそうだと思ったことをメモしておく。あとから自分が見て何のことかがわかればいいので、「格差でうつ病」とか「漢字で民族争いなくなる」と、端的な言葉でメモしています。

ずいぶん前から私は、大学の授業でも人との雑談でも、テレビから得た情報をどんどん話すようにしています。たくさんの番組を見ている私が、その中からおもしろいネタを話すので、けっこう興味深く聞いてくれます。

テレビ番組自体が情報を厳選している上に、私がさらに厳選している。これはかなり濃い情報です。「格差社会って、うつ病になりやすいんだって」「漢字が生まれたことで、民族同士の争いが少なくなったらしいよ」と言うと、それこそみんな「へぇー」と聞いてくれる。テレビを見る時間のない人も、私が1分くらいで要約して伝えてあげると、「なるほど」と喜んで聞いています。

テレビから得た情報を「ネタ」にしてどんどん話し合うと、常に新しい情報のやりとりができます。「昨日こんなことがあってさぁ」というような「経験談」も悪いわけではありませんが、**ネタとして限界があります**。下手をすると、何回も繰り返し話してしまう恐れがある。人に話したくなるような経験を毎日するわけではないので、結局は同じ話になってしまうんですね。同じ話、新情報のない話ばかりしていると、「まただよ」と思われかねません。

テレビは見るだけでいいし、話のネタとしても難しくなりすぎません。「昨日見たテレビでこんなこと言っててさ」と言うだけで、話題としては十分です。話題が新しいというだけで、若々しく感じられます。

仕入れている情報の新しさが、その人の若さでもあると考えると、若い人たちが必ずしも情報的に「若い」とはいえないのです。なぜなら、彼らは忙しくてテレビや新聞を見ている時間がない。勉強したりバイトしたり、好きな人にアプローチしたりと、やるべきことが多いのです。ですから、若い人のほうが案外情報に乗り遅れているということもある。

ここは、時間的余裕のある高齢者の腕の見せどころです。若い人たちに差をつけるために、テレビを利用して新情報をどんどん取り込んでいきましょう。

ですが、新情報とはいえ、すぐに古くなってしまいます。それをカバーするのが教養です。古くても含蓄のあるもの、それが古典。テレビで新情報に触れつつ、古典の本を読んで教養を蓄える。これができれば、老若男女を問わずどんな人とでも楽しく会話し続けることができます。

私は、楽しくしゃべりまくることはいいことだと思っています。寡黙であることは、今の時代、それほど美徳とはいえなくなっているのではないでしょうか。

何のためにこの世に生まれてきたかといえば、楽しくしゃべるためと言っても過言ではない。それでいいのだと思います。

ブッダもいろいろなことを言っていますが、詰まるところ、平穏な気持ちになりましょうということ。まさに、人と楽しくしゃべっているときは、平穏で心地いい。ブッダも、晩年は弟子やいろいろな人に囲まれて、楽しく語らっていたわけです。それで道を説いていた。楽しく穏やかな気持ちで語らうこと自体が悟りの境地だとすれば、テレビのネタで盛り上がることも悟りに近づく一歩かもしれません。

COLUMN

微笑みながら相づちを打つ

相手の話に反応できないという高齢の方で、耳が遠いことを要因に挙げる方がいます。ですが私は、耳が遠いこと自体はそれほど問題ではないと思っています。聞こえなかったら「ちょっと耳が遠いので」と相手に近づいていけばいいことですし、不安だったら「今、おっしゃったのは、こういうことですか？」と確認すればいいことです。たとえ耳が遠いというハンデがあっても、ちゃんと聞く姿勢が伝われば、いいコミュニケーションになります。それよりも、耳が遠いことを理由に、反応することを面倒がってしまうことのほうが問題です。体が動かないどころか、心も動かなくなってしまっては、コミュニケーションを楽しめません。

「私はあなたの話を聞く姿勢になっていますよ」ということを伝えるために、まず、相手の目を見ます。そして、軽く微笑（ほほえ）んで頷くということ。この一連の動作をするだけで、会話の流れがよくなってきます。

ここでポイントなのは、微笑むということ。微笑んで聞いているだけで、いい印象を与えます。よくないのは、無表情であったり不機嫌そうであること。それだけで老けた感じになってしまいます。

男性も女性も、微笑んでいるとやわらかくふっくらした印象になります。例えば、女優の八千草薫さんは、いつもにこやかに話しているイメージがありますね。人生の深い話もツライ話も、やわらかく微笑みながらされると、聞くほうも受け入れやすくなります。

微笑むコツは、息を吐いてリラックスすること。「何もかもどっちでもいい」と思うくらいの気楽な感じで、生きているこの瞬間を微笑みで祝う気持ちが大切です。微笑んで話すことで相手の印象をよくして、楽しく若々しいコミュニケーションをしていきたいものです。

第4章

〔会話編〕

会話を止めないための5つのコツ

テクニック 16 自慢話は失敗談とセットで話す

会話において「若々しい・若々しくない」と感じられる要素としては、使う言葉や話題、話すテンポのほかに、相手の反応を見ながら会話ができるかどうかも重要です。

言葉や話題に詰まるとよくないと思い、とぎれないように話し続けてしまう人がいますが、その「ひとりよがり感」は、かえってマイナスな印象を与えてしまいます。相手のことを考えられない人は、相手の反応に気づかない、周りが見えない、空気が読めないと思われてしまうのです。

相手の反応を見て、もし自分が話した内容がよくわからない顔をしていたら、「あ、今話したこと、ちょっとわかりにくいですか?」と聞いて、別の言葉で言い換えたり説明し直したりすることが必要ですし、退屈そうな顔をしていたら、さっさと話を切り上げる。あきらかに退屈そうな顔をしているのに、延々と話し続けるのは、人の家に上がり込んで居座るようなもので、相手にとっては迷惑以外のなにものでもありません。自分のことしか見えていないのは、「会話のキャッチボール」にならないのです。

相手がどんな気持ちで聞いているか。そこに意識を向けるための手っ取り早い方法は、相手に質問を投げかけることです。一方的に自分の出来事を話すのではなく、「私はこうしちゃったんですけど、あなただったらどうしますか？」とか「こういうことって、ありませんか？」と相手に話を振るようにすると、キャッチボールができて会話がイキイキとしてきます。

会話というのは、言葉のやりとりです。互いに言葉を投げ合い、そこから話が広がっていくのが生産的な会話というもの。自分がしたい話ばかりをしていては何も生まれませんし、第一、間がもちません。

話をしつつ、相手に質問を投げかけて、返ってきた答えに対してまた話をしていく。そういう**「やわらかいライブ感」があると、若々しい会話になります。**

自分の話をしすぎてしまう人はよくいますが、その最たるものが自慢話。聞くほうとしてはあまり歓迎しないものなのですが、話すほうになるとやめられない。自慢話をしない、というのは非常に難しい問題です。

ただし、自分で「自慢話をやめられない」と思っている人は、そこに気づいているだけまだマシです。重症なのは、自分が自慢話をしていることに気づかないでいる一方、人の自慢話を聞くと露骨にイヤな顔をする人。まずは、我が身を振り返ってみることが大切です。

実は、私もたまに自慢話になる傾向があると自覚しています。そういうときは、「いや、ちょっとこれは自慢話になっちゃうんだけど」と言うようにしています。あるいは、「自画自賛なんだけど」とか「誰もほめてくれないので、ちょっと聞いてもらいたいんだけど」というふうに、枕詞をつけるわけです。「安心してください、私は自慢話だと自覚して話してますから。なので、ちょっと聞いてもらえますか？」という謙虚な気持ちを始めに伝える。そうすると、**無自覚に自慢話を続けて、相手を辟易させることが少なくなります。**それに、いちいち枕詞をつけて自慢話をしなくてはならないと思うとだんだん面倒くさくなって、自然と自慢話をしなくなります。

確実に自慢話を減らす工夫としては、1度、十分にほめてもらって満足するということ。自慢話をしてしまうのは、「すごいねー」と言われて気持ちを落ち着けたいからです。特に自慢をしたいわけではなくても、「すごいね」と言ってほしいこと、あるのではないでしょうか。

例えば、子どもが大きな企業に就職したとか、孫が難関大学に入ったというとき。それを、脈絡もなく唐突に「ウチの子どもが……」と話しだすと、強引な自慢になってしまうので、「実はさ、あまり人には言ってないんだけど、ちょっとうれしかったから聞いてほしくてね。実は、ウチの子どもが……」と言えば、「そうなんだ、すごいね」「うん、どうもありがとう」となり、自慢したい気持ちが落ち着いてほかで言いふらさなくなります。ただしこれは、相手が親しい人や気のおけない人に限ります。

ここまでしないと自慢話はできないのか、そうまでして自慢話がしたいのか、と切ない気持ちにもなりますが、自慢話というのはそういうものです。

少し高度なテクニックになりますが、自慢話に聞こえないように自慢話をする方法もあります。それは、失敗談とともに話すこと。私は、どうしても自慢話がしたくなったときのために、「失敗談とセットにして話す」というルールを作りました。

方法としては、まずはじめに、「実は、この間こんなことをやらかしてしまって……」と言い、そのあとで「でも、そのときに、○○したら思いのほかうまくいってね……」と自慢話をくっつけます。つまり、**自慢話の前振りとして失敗談**

を持ってくるのです。自分を1回「落とす」と、そのあと自慢をしてもそれほど嫌味には聞こえません。

ただし、この場合の失敗談は、「ちょっとしたミス」程度の軽いものにします。あまりに深刻な失敗だと、相手も聞き流せなくなってしまいますし、「大丈夫なの？」と心配されてしまって面倒なことになりがちです。ここでの失敗談は、あくまでも自慢話をするためのイントロなので、「階段で転んじゃってさ」とか「人の名前を間違えて呼んじゃってね」というような、笑って聞けるくらいのものにしましょう。

もう1つ、自分を落とす方法としては、「全然、大したことじゃないんだけどね」と謙遜しておくということ。例えば、雑誌に投稿した俳句が入選したとします。自分としては飛び上がるほどうれしいし、その雑誌をみんなに見せて回って自慢したい。ですが、そこはグッとこらえて自慢に見えないようにします。「入選したとはいえ、まだまだ下手なんですけどね」とか、「何度も送っていると1度くらいは入選させてくれるものなんですよ」と添えて、ちゃんと自分を落とします。あるいは、「入選より上の特選になると、これはもうまったくレベルが違いますけどね」と、自分より上の人と比較して落とします。自慢してプラス

1、落としてマイナス1、結果的にプラスマイナスゼロになれば大丈夫。

話しているほうは気持ちがいい、聞いているほうはウンザリ、それが自慢話の宿命なのです。周りが見えなくなって自慢し続ける人の話を聞くのは、ツライもの。聞いている相手の気持ちを感じ取ることができず、客観性を欠いたまま話し続けると、「老いた人」と思われてしまいます。

ですから、「自慢話は聞くほうがツライことはわかっていますから、自慢話に聞こえないように細心の注意を払いながら話していますよ」という表明が大事なのです。自慢話を聞く人の立場に立つこと、それは相手の反応や気持ちを理解できるということなので、心地よい会話が成り立つのです。

ちなみに、自慢話に聞こえないような話し方をしたとしても、同じ相手に何度も繰り返して話してはいけません。どんな方法で言ったとしても、**自慢話は1人につき1回**。これは厳守しましょう。

もし心配になったら、「この話、前にしたことあったっけ?」と確認します。もし、「聞いたよ」と言われたら、「ごめん、つい言いたくなっちゃうんだよね」とにこやかに謝れば大丈夫。そう言われてイヤな気分になる人はいませんから。

テクニック 17 「なるほど、なるほど」と2回の相づちが若々しい

よく、「ノリがいい」と言われる人がいます。どんな話をしてもうまく受け止めて、より楽しい雰囲気にしてくれる人のこと。逆に、「そんなの知らない」と否定的なことを言ったり、「ふーん」と話を終わらせてしまう人は、「ノリが悪い」と言われてしまい、ネガティブな印象を与えてしまいます。

ノリがいい人は、相手の話に乗っかっていくのが上手です。振られた話に対して、たたみかけるように話を広げて盛り上げていくのです。始めに話をした人は、自分がきっかけで場が盛り上がることになって気持ちがいいですし、周りも楽しい。

ただ、話を広げるというのはそんなに簡単ではありません。関連する話題を持っていて、かつさらに盛り上げる話術が必要だからです。これができる人は、相当なしゃべりのプロでしょう。

例えば、テレビタレントでいえば上沼恵美子さんや明石家さんまさん。トークが上手な人は、話を自分のほうに引き寄せてもいいのです。むしろ、周りはそれ

を期待しているくらい。彼らが話しだしたら、絶対におもしろくなるとみんなが知っているからです。これは1つの才能です。

　ですが、プロではない私たちには、なかなかできません。話を持っていってしまったら、かえって顰蹙（ひんしゅく）を買ってしまいます。


　そこで、「ノリがいい」と思われる会話法としておすすめしたいのが、「ノリのいい相づち」です。相づちというと、「なるほど」とか「はい」が代表的です。基本的にはこれらを使うのですが、使い方にポイントがあります。

　単独で使うのではなく、2つ3つとつなげて使うのです。「なるほど」よりも、「なるほど、なるほど！」と言う。そのときには、**1つ目よりも2つ目、3つ目のほうを大きな声で強く言ってみる**。そうすると、相づちがイキイキとしてきます。「ある、ある、ある！」、あるいは「ある、ありますよね、うん、あるある！」のように、バリエーションを変えていくのもいいでしょう。

　なんとなく若者っぽくて軽い感じがするかもしれませんが、ノリのいい相づちには、言葉の勢いが大切です。話の流れをよくして、それに乗っていくということなので、少し軽いくらいでもいいのです。

イメージとしては、邦楽のお囃子（はやし）みたいなもの。盛り上がる場面で、鼓が「ポポポポポポーンッ！」ときて、「ヨーッ」とか「ホーッ」と言うと笛が「ピーッ」と鳴り響く。それを「なるほど、なるほど！」や「ある、ある、ある！」でやっていくのです。ノリのいい相づちは、リズミカルで盛り上がることに意義があるので、**その言葉自体に意味はなくてもかまいません。**盛り上げようと自分の話をして、その場の話題をさらった挙句に盛り下げるよりは、よっぽど歓迎されます。

大学で私の担当するゼミに、以前Ｙクンという学生がいました。彼は、ゼミで私が話しているときに、いいタイミングで「なるほど、なるほど」「ホーッ、そうかー」とか、「わかります、わかります」というお囃子を入れるのです。話の流れを止めてしまうほどのボリュームではないけれど、確実に私に聞こえるくらいの声で、話と話の隙間に絶妙にはさんでくる。彼が私に油をさしてくれているようで、どんどん話しやすくなるのです。

週明け月曜日の朝、彼のいる少人数授業があると、私のノリがどんどんよくなってくる。話しているほうが楽しくなると、その場全体も盛り上がります。Ｙクンにはずいぶん助けられました。

その後、彼は学校の先生になりました。そして、得意の「お囃子」で担任しているクラスを盛り上げようと、生徒たちにやり方を教えました。すると、授業で誰かが発表したら、みんなが「いいね、いいね」と言ったり、Ｙクンが教室に入ってくるときには「よっ、待ってました！」と声がかかる。授業に活気が出て、とても楽しいクラスになりました。１年経って担任が終わるときには、クラスの生徒全員から惜しまれたそうです。

Ｙクンのような盛り上げ上手は、**誰からも好かれて重宝される**。彼がうまく合いの手を入れてくれるとこちらが話し上手な気がしてくる。だからみんなが、「Ｙクンと話したい」と思うのです。

通常、聞き役というと消極的で受け身の印象を受けるかもしれませんが、聞き役でありながら大きなインパクトを残す人なのです。常に話題の中心にいて話を盛り上げるのも才能なら、ノリのいい聞き役として場を盛り上げるのも才能といえます。

歳の離れた人同士で話をすると、なかなか話が続かなくなることがあります。

それは、話をするほうが遠慮してしまったり、聞くほうとしては、いい加減な受け答えは失礼だと思い、どう相づちを打てばいいのか戸惑ったりするためです。つまり、相手に対する配慮をし合うあまり、話がはずまなくなってしまうのです。

　こういう場合は、相づちの「なるほど、なるほど！」や「ある、ある、ある！」では解消できません。そこで効果的なのが「合いの手」です。

　最もシンプルな方法は、相手の言葉を繰り返すこと。ただ単なるオウム返しではなく、相手に対する共感の表現です。「あなたの言うことを理解しましたよ」「私も同じ気持ちですよ」ということを伝えるには、キーワードになっている言葉を使うのがいいのです。これを、次の話を引きだすための「合いの手」として使うには、語尾を少し上げて、言葉を促すように言います。

「へえー、そうだったんですか。それは大変だったでしょう？」「そうですよね、疲れちゃいますよね？」「ずいぶん手間がかかったんですね？」というように、「大変だった」「疲れた」「手間がかかった」という相手の言葉を活用して、同調しつつ促す。最後にクエスチョンマークがつくような言い方ですと、相手はそれに対して答えようとするので、「ええ、そうなんですよ、本当に大変でね、そのあとは……」と次の言葉が出やすくなり、会話がつながっていきます。

会話では、まずは相手が投げたボールを受け取ることが第一。それが共感であり同調です。その上で、今度は自分のほうから相手にボール（話題）を投げるのですが、気の利いた投げ方、つまり気の利いたコメントができない場合は、そっと相手にパスするように渡せばいいのです。それが、同調しつつ促すという方法。**もらったボール（話題）をそのまま渡して、また相手に投げてもらう。**

何も、気の利いたことを話し合うばかりが会話ではありません。大声で笑い合うことだけが、盛り上がることではありません。会話の「ノリ」がよく、ゆるやかに心地よく続くことも大切なのです。

テクニック18 「そうそう、そういえば」は万能選手

気のおけない関係性であれば、互いに気持ちよく話せるので、「いつ、どこで自分が発言するか」などを気にせずに話せます。しかし、往々にして会話においては「発言の多い人」「発言の少ない人」という区分けができがちです。

つまり、会話における「力関係」。1対1で話しているときにもあるのですから、複数で話しているときはなおさらです。長い間みんなで話していても、1回も声を出さなかったという経験をした人もいるでしょう。**なかなかタイミングよく発言できないという悩み**は、この「力関係」によって起こることなのです。

会話での「強者」、それは話し上手であったり声が大きい人であったりしますが、こういう人はどこに行っても「強者」になりがちです。

常に会話の中心にいて、話を盛り上げる人。長い間、そういう存在として生きてきたでしょうから本人も自覚していますし、周りからも期待されています。悪気があるわけではないでしょうが、結果的にほかの人に話す隙を与えないのです。

そういう人がいる一方で、会話での「弱者」、つまり自分から話をしにくい人

もいます。悩むのは、常に弱者です。タイミングよく口をはさめず、いつも出遅れてしまうのです。例えば、「この間行ったレストラン、安くておいしかったんだよね」という話題で、みんなが「へえ、そうなんだ」とか「そのお店、どこ？」などと言っているとき、自分も行ったことがあるのに「そう、あそこいいよね」の一言が言いだせない。あの人の話が終わったら言おうと思っているうちに、話題は別のお店の話に移ってしまい、聞き役に徹するしかなくなってしまいます。**一旦話題が逸れてしまったら、もう戻ってはきません。**

タイミングをみて発言するには、会話の流れを見るセンスが必要。センスがないというのは若さとは対極の印象になってしまうので、身につけておいたほうがいいでしょう。

それができない原因としては、まず準備不足が挙げられます。ここでいう準備とは、言葉や発言内容よりも、スッと言葉をはさむ心と体の準備です。複数の人たちがいろいろなことを話している中にスッと入っていくのは、**大縄跳びの感じに似ています。**縄が一定の速度で回り続けているところに、タイミングを合わせて飛び込む。子どものころに1度はやったことがあるでしょう。その感覚を思いだしてみてください。

縄にぶつからないように入るには、縄がどこにあるときに入ればいいでしょう？　一番安全なのは縄が真上にあるときですが、真上にあることを確認してから飛びだすのでは遅い。自分が回転の中に入るときには上から縄が下りてきてしまうので、ちょうどぶつかってしまいます。

ではいつか？　縄が地面に当たったときに飛びだして、真上に着くころに中に入ればいいのです。つまり、自分の目の前を縄が通り過ぎるとき、まさに縄にぶつかるくらいの勢いで飛びだすということ。これが大縄跳びのコツです。

翻って、「会話の大縄跳び」を考えてみましょう。こちらも原理は同じです。誰かの言葉が終わってから息を吸って話すのでは、遅いのです。そのときには別の誰かが話しだしてしまうので、今度はその終わりを待たなくてはならない。タイミングよく口をはさめないのは、息を吸ってから話し始めようとするからです。

ですから、**前の人の言葉の余韻があるくらいのときに声を出します**。相手の言葉の「しっぽ」に重ねるようにして話しだす。相手の話をカットインするくらいの気持ちで入っていかないと、「強者」の中で口をはさむことはできません。

ですが、あからさまにやって感じが悪くなるのも困るので、周りが受け入れやすい言葉を口にしながら入っていきます。

その言葉とは、「そうそう、そういえば……」。

ここには2つポイントがあります。1つは、「そうそう」と言って、相手の話に同調している気持ちを伝えること。相手の言葉のしっぽに重ねるようにして入る、つまり最後の言葉にかぶせるようにカットインするのですから、下手したら「話をさえぎられた」と思われるかもしれません。ですから、「決してあなたの話をさえぎっているわけではありません、私も同じ意見（気持ち）だということを伝えたいんですよ」という意図を「そうそう」で表現するのです。そうすれば、相手にも失礼がないですし、悪い気はしません。むしろ、前のめりになって同調してくれていると喜ばれるくらいです。

2つ目は、「そういえば」と言って、相手の話に刺激を受けて言いたいことが生まれたという感じを伝えること。ただ言いたいことを割り込んで言おうとしているのではなく、「あなたの話を聞いて言いたくなったんですよ」と、相手の話をリスペクトしているニュアンスが伝わるのです。

「そうそう、そういえば」は、「今から私が話しますよ」という合図であり、**車で左折・右折するときのウインカーのようなもの**だと思ってください。相手の言葉が終わるか終わらないかのときに、同調しつつ話題に乗っかりながらウインカーを出して、自分の話に持っていく。これが「実は、先日私は……」という入り方だと、ウインカーの役割を果たしません。「実は」と言われると、それまでの相手の話を一旦切って、別の話をしそうな感じがするからです。それまで話をしていた人にとっては、否定されたような気にさえなるでしょう。曲がるどころか追突事故です。

　ちなみに、「そうそう、そういえば」までは、ひと息で言ってください。タイミングの道を切り開くときは、ためらったり言い澱んだりせず、一気に突き進むのが大切です。そして、スッと入ったら、手短に話してサッと抜ける。「そうそう、そういえば、そのお店はわたしもこの間行ったんですけど、その日に入ったいい食材で料理を作ってくれて、けっこう飲んで食べてもそんなに高くなかったですよ」くらい。人の話をカットインして入って、長々と話してはいけません。手短だからこそ、受け入れられるのです。

　また、こういう場合はタイミングが重要なので、「いい話をしよう」と力まないこと。**いい話だと思われなくても、おもしろいと思われなくても、まったくかまいません。**みんなが話しているときに、自分も一言くらい話したいというときには、内容はどうでもいい。話の流れを止めずに、「あるある、そういうこと自

分にもあった よ」と同調して乗っかれれば十分。つまらない話だと思われなければ、それだけでOKです。

タイミングよく話せない、大勢で話しているときに一言も発言できない。そういう悩みを抱える気持ちはわかります。「そうそう、そういえば」は、それを解消する1つの有効な方法としてご紹介しました。

ですが、そもそも発言できなくても、あまり気にしすぎないでください。場が盛り上がるというのは、話題の中心になっている人のおかげもありますが、「場」はそこにいるすべての人によって構成されるものです。メインで話している人だけが盛り上げているのではなく、そこにみんながいることで場が盛り上がっている。そういうものなのです。

一言も話せなくても、にこやかな笑顔で聞いていたり、「なるほど」という気持ちで頷いたり、「えーっ」と驚いたり、そういう反応もあわせてその場の空気感ができるのです。盛り上がりには場の空気感が大事なので、おもしろい話をしなくても、場を作る一員として機能しているんだと思ってください。

そもそも楽しい会話とは、交わし合う言葉の数の多さで決まるものではありません。言葉や情報の量ではなく、心地いいやりとりができたかどうかで決まるのです。なんとか一言くらいは話したいと思ったら「そうそう、そういえば」で入っていく。話さなくても存在感があると思ったら、特に気にせず、その場にいること自体を楽しめばいいのです。

テクニック 19 「今の話で思いだしたんだけど」で新しい話題に入る

「おしゃべり」というと、なんの脈略もなく話し続けている印象があって、「意味がない」「ムダなこと」と思うかもしれませんが、ストレス解消には効果的なのです。気分が落ち込むと、誰にも会いたくなくなって、人と話さなくなります。話さないとさらに気持ちが沈んで、ストレスがたまっていきます。つまり、人と話さないと気持ちが内向きになってストレスがたまり、**人と話すとオープンマインドになってストレスが解消される**のです。ですから、心と体の健康のためにもおしゃべりはおすすめです。

おしゃべりは女性の専売特許のように言われますし、確かに女性はおしゃべりが得意。時間無制限で話し続けられるのは、1つの能力と言ってもいいでしょう。

私はよくカフェに行って仕事をしているのですが、そこに来る女性の集まりはすごい。例えば5人いるとしたら、たいてい2人か3人が同時に話しています。2人が話すなら聞き手は3人いますが、3人話すと聞き手は2人。過半数が話していることになります。これはもう「会話」ではなくなっているのではと心配になりますが、当の本人たちはとても楽しそうなのです。こういう様子を見てわかったのは、「話す」ことが心地よくて、「聞いてもらう」ことについてはそれほど重要視していないということ。「ああ、そう」とか「うんうん」といった相づちがあれば十分。しっかり聞いてもらわなくても話せればいい、それが「おしゃべり」なのです。

これは男性同士のグループでは、まずありえません。男性の場合は、話す人は1人。その人が話し終わったら、次の人が話す。5人いたら、話す人1人に対して聞き手が4人。この配分は決して崩れません。**一般的に会話というのは意味のあるやりとり、あるいは情報交換であると考えています。**ですから、言葉のボールを投げる人、受け取る人の役割分担が必要になります。この場合、話が重くなる傾向があります。一方女性の「おしゃべり」では、ボールを投げることが大事なので、誰もキャッチせずにどこかに転がっていっても一向に気にしません。

以前、「文脈力」という言葉を作って本を書いたことがあります。「文脈力」とは、書き言葉でも話し言葉でも、言葉と言葉の意味のつながりや、文と文の論理的な関連性を理解して発信する力のこと。私は国語の指導もしているので、勉強のときには「文脈力」が大事だよと教えてきました。ですが、「おしゃべり」は

「文脈力」とは正反対にあるものです。「おしゃべり」によって人間関係が温まることもあり、ストレス解消にもなると気づいたとき、**意味のない会話にも意義があると考えて「雑談力」という言葉を作りました。**

　ストレスが解消でき、健康維持にも寄与する「おしゃべり」のポイントは、テンポよく続けること。そして、1人が長々と話すのではなく、次から次へと話し手が入れ替わり、その場にいるすべての人が話すことです。意味があるかないかは別にして、どんどん話していく。これは脳のトレーニングでもあるので、**若々しい話し方の訓練**にもなります。

　そのときに重宝するのが、前項にも出た「そういえば」。カットインなら「そういえば」でスッと入るのが最適です。

　より上級者テクニックになると、「あっ、今の話で思いだしたんですけど」というのもあります。さりげなくスッと入るのが難しいときは、まず「あっ」と言ってみんなを引きつけます。「あっ」に周りが反応した隙に、「今の話で思いだしたんですけど」という言葉で態勢を整え、本題に入っていくのです。

　少し言い訳めいた感じがするかもしれませんが、気にしなくて大丈夫です。「思いだした」というのは、どんなことにも使える万能の言葉なのです。「思いだした」内容は、少々遠い話でもかまいません。なぜなら、自分の中では何かがつながってピピッときたということなので、ほかの人にはつながらなくてもいいのです。「ああ、あなたにとってはさっきの話とつながってるんだね」ということがわかればいい。そのための「思いだした」なのです。おしゃべりでは、もともと意味のつながりが厳密に求められているわけではないので、考えすぎずにどんどん話しましょう。

それに、人の話を聞いて芋づる式に何かを思いだすこと自体は、とてもクリエイティブな行為です。他人にとってつながるかどうかは別にして、自分の中ではすぐに関連性を見いだせているわけですから、脳が若い証拠です。

「あっ、今の話で思いだしたんですけど」というおしゃべりは、若々しい話し方の練習にもなります。高尚（こうしょう）なことでなくていいのです。くだらないことでも、咄嗟（とっさ）に思いつくことに意味があります。

そして、「あっ」と言うときに、**ちょっと表情を明るくすると、より若々しい印象に**なります。電気が「パッ」とつくような感じ。自分のテンションも上がりますし、周りも明るくなる。明るく若々しい雰囲気でおしゃべりができたら、それこそ心にも体にもいい影響があるでしょう。

「おしゃべり」で絶対に言ってはいけない言葉は、「話はぜんぜん変わりますけど」。

関連する話が見つからなくて、ただ単に言いたいことを思いついちゃったから言わせてほしい、それを謙虚に言っているつもりかもしれませんが、言われたほうはイヤな気持ちがします。わざわざ「話は変わりますけど」と言われると、今までの話がプッツリ途切れてしまいます。話だけでなく、その場の雰囲気やテンポ、楽しかった気持ちまで途切れてしまう感じがします。言われたほうは「今までの話はまったくおもしろくなかったのか、そんなにやめさせたかったのか」と思ってしまう。それに、わざわざ話を変えるくらいなのだから、ものすごく重要な話かおもしろい話なんだろうと聞くほうが構えてしまい、話し手のハードルが高くなります。**周りをイヤな気持ちにして、自分のハードルを上げてまで言う言葉ではありません**。ムダな一言というものです。

もし話が変わるとしても、つなぎの言葉を言う必要はないのです。もしどうしても一言入れたかったら、「そういえば」でいい。あくまでも話すきっかけをつかむのがつなぎの言葉であり、その点で「そういえば」は無敵です。

電車の中などで女子高生のおしゃべりを聞いていると、「そういえば」もないまま話がクルクル変わっていくのに驚きます。彼女たちのつなぎ言葉は「っていうか……」。私からみれば、「話は変わりますけど」に匹敵するくらい、破壊力のあるつなぎ言葉です。

「っていうか」は、前文を言い換え・補足する接続表現。語義通りに受け取ると、自分の言ったことを否定された気になる言葉です。それでも彼女たちは盛り上がって話している。相手の話を打ち切っても、また自分の話を打ち切られても、まったく気にしていません。それどころか、「そうそう、っていうか…」とさらに続いていく。すごいことです。

そういう光景を頻繁に見かける中で気づいたのは、これは強固な信頼関係の証なのではないかということ。相手の話を打ち切ってまったく関係のない話をしてもいい、話を切って切って切りまくりながらもお互いさまなので問題がない。限られた時間の中で確実に自分の話をするための会話形式として、双方が納得しているのです。「っていうか」で話を切られても、痛くもかゆくもない、**絶対的な信頼関係に基づく、新たなコミュニケーションのスタイル**なのかもしれません。

意味を考えながら話すのには、体力がいります。ですが、「おしゃべり」はある意味省エネできます。「っていうか」で突っ走る勇気はなくても、「そういえば」と「あっ、思いだしたんですけど」を使えば、際限なくおしゃべりすることができます。おしゃべりで心と体の健康を整えて、若々しい話し方をしていきましょう。

テクニック 20 7対3で相手に話してもらう

会話なんて、誰かがいればすぐにできると思いがちですが、実はそうではありません。スポーツと同じで、ブランクがあると勘が鈍ってしまい、うまくできないことがあるのです。アスリートは、試合の前に準備運動をして、体を本番用に慣らします。それと同じように、会話も慣らしておくことが必要です。そうでないと、会話のテンポがズレてしまったり、言いたいことがうまく出てこなかったりしてしまうのです。

ただ、会話の場合、さあ話そう、というときに「ちょっと待って」と準備運動はできません。ですから、**普段から会話のある生活を送ることが大切**です。

この点について、女性は比較的問題ないのですが、心配なのは男性です。特に、退職した男性。仕事で外に出ていれば、いやがおうにも人と話さなくてはなりません。それが、一線を退いて家にいることが多くなると、パッタリ人と話す機会は減ります。奥さんや子どもには、それぞれの世界や人間関係があります。ですから、仕事もせず家にいる男性の相手をしているヒマはありません。そうなると男性は、一気に老け込んでしまいかねません。

こういうときに必要なのが「雑談力」。雑談は、意味のある会話でなくてかまいません。そもそも、情報交換が目的ではなく、会話のある生活を送ることが目的なので、どんな人とでもある程度会話が続く雑談がいいのです。

では、雑談の相手はどうするか。これは、できるだけ時間に余裕のある人、要は「ヒマな人」を探しましょう。一番いいのは、同じ境遇にいる人。退職して、特に多趣味なわけでもなく、交友関係もそれほど広くなく、時間をもてあましているような人。そういう人に時々ふらっと会いに行って、話をする。電話ではなく、できれば会って話をしたほうがいいでしょう。

あるいは、ご近所のお年寄り。若い人は忙しいですが、お年寄りはそうでもありません。それに、**お年寄りと話をすると相手も喜んでくれます**。自分は人と会話ができる、相手は交流が持てることを喜んでくれる。一石二鳥です。

雑談テーマの定番は、天気や気候。「今日はお天気がいいですね」とか、「だんだん暖かくなってきましたね」というのは、誰しも同じように実感することなので共感しやすい。「いや、今日は天気が悪いですよ」「まだまだ寒くて困ってます」というような否定的な意見はまず出ません。

天気のように「最大公約数」的な話題というと、世間でニュースになっていて、多くの人が興味を持っていること。例えば、**オリンピックやノーベル賞などは、その最たるものです**。「あれはすごいですね」と言えば、十中八九「そうですね、すごいですね」と返ってきます。ただ、あまり詳しくない場合は、それ以上話が深まらないので、天気の話と同じような導入としての役割と思っておけばいいでしょう。

雑談で注意したいのは、自分の話ばかりをしないことです。雑談では、話すのと聞くのが5分5分になるのが理想ですが、根っからの聞き上手でない限り、どうしても多く話してしまうのが人間です。5分5分を意識していても、実際は7対3で自分が多く話していることのほうが多いので、**7対3で相手の話を多くするくらいに思っておくのがちょうどいいと言えます。**

もちろん、自分が雑談を楽しめないと意味がないので、自分が興味のあることや話したい話題を振るのは悪いことではないのですが、一番いいのは共通の関心事を話題にすること。お互いに話したいことであれば、自然と会話も盛り上がります。中には、興味のないことでも辛抱強く聞いてくれる人もいますが、それは相手に対して義理があるか特別な好意を持っているかのどちらかです。会社でも、上司や社長のゴルフの話はさえぎらずに聞きますし、好きな相手なら、どんな話題でも話しているだけでうれしいもの。普通の雑談では、こういうケースはまずありません。ですから、自分も相手も興味のあることを話題にするのが、雑談の礼儀です。

雑談上手な人は、相手の好きなことに合わせて話します。どんな人とでも、どんな話題でも、盛り上がることができれば、もう雑談の達人です。そうなるためには、自分の好きなものを増やしておきます。相手よりも自分のほうが好きなものが多ければ、重なる確率が高くなります。そうすると、どんな人とでも盛り上がることができ、心から雑談を楽しむことができます。

好きなものといっても、マニアのように収集したり、凝りに凝って詳しくなったりする必要はありません。「そういえば、これ好きだったなぁ」と、自分のセンサーが少し振れるくらいでいいのです。「まったく興味がない」「まったく知らない」をゼロだとして、マニアレベルを100としたら、30くらいでもいいのです。探せば意外に見つかります。

私は、好きなものをどんどん書き込んだものを「偏愛マップ」と呼んでいます。

以前、これを作るワークショップを市民講座で開いたところ、参加した方たちからとても好評でした。スポーツ、食、レジャー、ファッションなど、さまざまな分野で思いつく好きなものを片っ端から書いていきます。偏愛マップができあったところで、それを見ながら話し合ってもらいました。

「えー、フラメンコが好きなんですか？」「そうなんですよ、昔ちょっとやってたことがあって」「私もフラメンコは見たことあります。以前行ったスペイン料理のお店で見ました」「そうですか、私もスペイン料理屋に行くことがありますが、あなたが行ったのはどこのお店ですか？」というふうに、どんどん話が広がっていきます。試しに、紙でもパソコンでもいいので、好きなものを30個書いてみてください。「そうそう、これも」というものがたくさん出てくるはずです。

好きなものが多ければ多いほど、雑談の話題に困ることなく楽しめるので、おすすめです。

会話のための「筋肉」は、日々鍛えていないと退化してしまいます。会話にも時代性や流行があるので、しばらく現場を離れていると浦島太郎状態になって、時代遅れの人と思われてしまうかもしれません。毎日のトレーニングとして、いろいろな人と雑談することを心がけましょう。

COLUMN

身につけた教養を人に話してみる

会話に重宝するもの、インプットしておきたいものは大きくわけて2つあります。1つは情報、1つは教養です。

情報は、日々鮮度が落ちていくので、入れ換えが必要です。世間をにぎわすようなことであっても、3日後には古く感じてしまいます。ですが、教養は古びません。そして、繰り返し話題になっても許されます。

教養とは、「そのことについては一家言あるよ」と言えること。何も難しいことでなくてもかまいません。盆栽でも釣りでも、絵画でも音楽でもいい。聞いた人がためになることを知っていれば、それが教養です。

なぜ教養が重宝するかというと、教養が豊かであれば、会話で自分の話ばかりをしなくて済むからです。年を取ると、自分の話から子ども、孫と、自分にまつわる話が多くなりがちです。それは、行動範囲が狭まることに関係するのでしょう。自分の周りのことから離れてみることをおすすめしたいのです。

50歳を過ぎたあたりから、教養を身につけることを意識すると、10年、20年、30年と時間はたっぷりあります。私は俳句や短歌の本が好きで、よく読みます。永田和宏さん、河野裕子さんというご夫妻は、日本を代表する短歌の歌人なのですが、家族で助け合いながら歌づくりに取り組んでいるというのが感動的なんですね。そういう話を会話の中でするると、「1度読んでみようかな」と興味を持たれます。

もちろん教養に触れるだけで人生は豊かになります。ただ、それを人に話さないと自分の中に残りにくい。話すことで記憶が定着するのです。私はあらゆることをしゃべりまくって身につけてきたので、得た教養はぜひしゃべりまくってください。

第5章

〔NG編〕

これを直せば 10歳若く 見られます

テクニック21 言葉が思いだせなくても会話は続くもの

人と話していて、「ああ、えーっと、なんだっけ」と言葉が出てこない場合を考えてみましょう。聞いているほうは、相手が「えーと、えーと……」と言っている間、じっと待っていることになり、そのちょっとした時間に「なんかこの人、大丈夫かなぁ」と思ってしまうものです。

これは若い人にもあることですが、会話の途中で何度も続くと「心配な感じ」が伝わってしまいます。

特に固有名詞。人の名前や物の名前、食事がおいしかったお店の名前やおもしろかった映画のタイトルなど、「そうそう、この間のアレさぁ……」と言ったまま、なかなかその単語が出てこない。せっかくいい話やおもしろい話をしようとしているのに、そこで止まってしまう。私もたまにあります。

家族や仲のよい友人同士なら、「ほら、アレアレ」「ああ、アレね」と話が通じることがあります。「こそあど言葉」だけで話が成立することもあるくらい。それは、共有している経験や情報の蓄積が多いからなのです。

まったく名詞が出てこなくても、「あのときに、そのへんにあった、こんな形した（手で示す）……」「うん、わかるわかる、それがどうしたの？」「それがさぁ、……」と、言葉が出ない分、身ぶり手ぶりを駆使すると、どんどん話をつなげられる。何のことを言っているか、最後まで名詞が登場しなくても、言いたいことは伝わります。

　これはこれで、1つのコミュニケーションとして成立しているのです。言わなくても理解し合える関係というのは、ストレスを感じることがありません。

　ただ、いつも近しい人とだけ会話をするわけにはいきません。そういうときに言葉が出てこないと、なんとか思いだそうとして「えーと……」とか「うっ……」と言って言葉を止めがちなのですが、その、**言葉が止まったり詰まったりする感じが、老けている**と思わせてしまうのです。言葉が詰まると、脳の血管まで詰まったようなイメージになってしまう。それをなんとかしたいわけです。

　思いだせないものは、仕方がない。そこは潔くあきらめましょう。では、どうすればいいのか。思いだせないこと自体を解決するのは難しいので、対処法の1つとして、とにかく言葉を止めないこと。「えーと」「あれ」「なんだっけ」ではなく、思いだせないこともすべて言葉にして、話し続けることが大切です。例えばこんなふうに。

「今、ちょっと名前が思いだせないんだけど、最近よくテレビのバラエティに出ている若い女の子で、身ぶり手ぶりが大きくて、小柄で声の大きい子がね」と言ったあと、「その子がね」というふうに話を進めてしまう。肝心な名前が出てこないなら、その周辺の情報や形容詞を思いつくかぎり並べ立てる。もし、相手が思いだしたら、「ああ、○○ちゃんね」と言ってくれるだろうし、そうでなくても「ああ、あの子ね」ということは伝わります。

そもそも、正しい言葉が出てこなくても、話は進むのです。思いだせないほうとしては、それが出てこないと相手に言いたいことが伝わらず、話が先に進まないと思ってしまいがちです。「なんだっけ、なんだっけ」と思うと、「あっ、どうしよう」と焦りだし、「大丈夫かなと思われるかもしれない」と思うとよけい焦ってしまうのでしょう。なんとかして思いだそうとしても一向に思いだせず、刻一刻と時間が過ぎていくと、自分はもちろん、相手もだんだんツラくなってきます。

相手に、「この人、言葉が出なくて困っているんだろうなぁ。そんなに気にしなくていいのに。だからといって、『気にしなくていいですよ』と言うのも失礼だし……」と、いらぬ心配をかけることにもなってしまいます。

実際は、**その固有名詞が出てこないからといって、話の流れが大きく変わるということはありません。**出てきたら出てきたで、「そうそう」で終わってしまう程度。だから、相手が何のことを言っているかがわかれば、会話としては十分成立するのです。

固有名詞のような情報よりも、「何が言いたいか」が伝わればいいと考えれば、ある言葉が出てこないときは、別の言葉で形容すればいい。思いだせなくても言葉が続けばいい、くらいに思っておきましょう。

テレビを見ていて、「この人、いつも『えーと、えーと』とか『あれ、あれ』と言ってるなぁ」と感じる人、いませんか。つまり、言葉が詰まって話の流れを止めてしまう人。見ているほうは長く感じるのですが、本当はせいぜい１、２秒くらい。実際の時間と、見ている人が感じる時間にズレがあるのは皮肉なものです。

テレビの世界はけっこう過酷で、コメンテーターでも話を振られて3秒も止まったら次は番組に呼ばれません。話の流れを止めてしまうというのがキャラクターとして認知されている方は別ですが、3秒止まってしまうと「テレビ向きではない」と判断されてしまうのでしょう。普通の会話でも、**相手が3秒黙ると、「あれ?」と思う**ものなんですね。

私も、テレビでコメンテーターとして出るときは、いろいろな話題について発言をしなくてはならないので、すぐに答えられるように準備をしておきます。番組では複数の人が発言することが多く、準備しておいた内容を別の人に先に言われてしまうこともあるので、常に2、3パターン持っておくようにしています。コメントするために呼ばれているのに、それができないとなると致命傷ですからね。

言葉のやりとりは、テンポよくスムーズに流れていくのがおもしろいのです。自分ではほんのちょっと止まっただけだと思っていて、それがたとえ3秒間だとしても、聞いているほうにとっては「会話の流れが止まった」ことが強く印象に残ってしまうのです。

もちろん、会話で「何を言うか」は大切です。ただ、「若々しさがないと感じる」かどうかについては、必ずしも内容とは関係ありません。鋭い視点を持って話しているか、高度な知識や教養を持っているかということは「若々しい・若々しくない」にはあまり関係ない。これは知的水準の問題なのです。

会話では、知性が高いことよりも、**言葉がとぎれないことのほうが若々しく感じられる**ものです。間をおかずに言葉が出てくるのは、反射神経がよくて、頭の回転がいいという印象になります。言葉を止めない、というのは「若々しい話し方」の重要なポイントになります。

テクニック 22 話をまとめようとすると年寄り臭い

人から感心されるようにと、高尚な話題を提供しなければと思っていませんか?

ですが、そんな必要はまったくありません。前項でも述べたように、知的水準の高さと若々しさは、必ずしも比例するものではないからです。

年配の、特に男性によくあるのが、「ことわざ」を織り交ぜて話そうとすること。皆さんの周りにも、何か話をすると、いつも「それは〇〇ってことだね」とことわざで返してくる人、いますよね。

ことわざは、往々にして教訓めいているので、それを言われると話が終わってしまうのです。言っているほうは、「おっ、うまくまとまったな」と気持ちよくなるようですが、そもそも、**話を終わらせてしまうところが、若々しさに欠けているように映るのです。**

例えば、ある仕事でとても苦労して、「こんな大変なこともあって、あんな大変なこともあって」と話したとします。話すほうには、とにかく大変だったという思いがあるので、「えー、そんなことがあったの？」とか「それは大変だったね」と共感してもらいたいのです。それを、全部言い終わったあとで「まぁ、人間万事塞翁が馬だね」なんて言われてしまったら、「いやいや、そうだけども……」と力が抜けてしまいます。こんなに大変だったことを、たった８文字でまとめられてしまったら、身も蓋もない。

出てくることわざが毎回違って、聞いているほうも勉強になるならまだいいのです。ですが、そういう人に限っていつも同じことを言います。

言われて一番ツライことわざは「身から出た錆」。いろいろ話した挙句にこれを言われると、「まぁ、そうなんだけど、いや、うーん、身から出た……、たしかにね」と。その先がまったく続かなくなってしまい、会話自体が終わってしまう。

ちなみに、ツライ四字熟語は「自業自得」。自分で言うならまだしも、人から言われるとテンションが下がります。どちらにも共通しているのは、まさに「身も蓋もない」。「正論」だとしても、話が続かなくなるのは「会話」としては成立しません。

会議や学級会であれば、「それでは、そろそろまとめに入りましょう」と、これまでに出た意見を集約する必要があります。「では皆さん、今日の結論としては、○○○○ということでよろしいでしょうか」と言って、全員が合意できる着地点を作ればいいのです。

でも普段の会話で話をまとめたりするのは、若さが欠けるように感じられてしまうのです。今の時代、着地点を作る会話法自体が古いということ。**話は着地させず、まとめようともしない。途切れず、止まらず、常に流れ流れていくのが、今の時代の会話法なのです。**

飲み会でも、話が切れ目なく続いて、「もう時間だから、そろそろお店を出ようか」というところでようやく話が終わるくらいがちょうどいい。「いやぁ、今日はずいぶんしゃべったね。何の話をしたかよく覚えていないけど、なんかいろいろ話した気がするなぁ」というくらいがいいのです。

「会話する」が、「話し合う」「議論する」と大きく異なるのは、結論を出さずに話し続けるという点。結論はなくてかまいません。そもそも、「会話」に結論は求められません。話すという行為自体に大きな意義があるのです。

人と言葉を交わして、話す・聞くという往復運動を繰り返すことこそがコミュニケーション。「終わりがない」という継続性にこそ、価値があるのです。それを、ことわざで締めてしまったら、「話をさえぎられた」「会話が終わってしまってつまらない」という思いだけが残ります。

このような、「流れ続ける会話」を上手にできるのが、女性。女子会や女性の集まりでは、延々と話し続けています。会話が途切れない、そして結論を出さない。だから女性は、いつまでもイキイキしているのかもしれません。

ことわざと同様に、社会問題のような込み入った話をするのも危険です。これも、年配の男性が陥りがちなこと。この手の話も、ある1つの言葉に収斂（しゅうれん）しがちだからです。

それは、「やっぱり、いろいろ難しいよね……」。

難しいと言ってしまったら、そのあとの話が続きません。政治も経済も外交も、起きている問題はすべて複雑で難解です。だからこそ、なかなか解決に至らない。それでもこういう話をしたがるのは、もともと男性が、天下国家の話を好む傾向があるからです。「自分ならこうする」という考えや意見を持っていて、それを公表してみたいという思いがある。もっと言えば、人の上に立ってそれを実践したいという野望があるのかもしれません。

だから、お酒が入ると、「でもさぁ、今の内閣どうなのよ。ちょっと勇み足じゃない？」「やっぱりさあ、根回しって大事だよね。その辺うまく立ちまわっていない感じがするよね」とか、「リーマンショックは痛かったよねぇ」などと言いたくなるのです。ですが、よくよく聞いてみると、大して議論は深まっていません。そんなときに、どちらかが「やっぱり、いろいろ難しいよね」と言うと、会話はそこで終わり。要は話を重くしすぎないこと、繰り返しにならないことがポイントです。

ただ、本当に政治や経済の話で盛り上がっているなら、何の問題もありません。私は大学時代、法学部と経済学部の学生が一緒になったクラスにいたのですが、当時の友人と同窓会で会ったら、経済のプロのような人がたくさんいました。金融関係の話や、国際経済の話を意気揚々としていて、私は聞いていてもよくわからない。よくそんなに話すことがあるなというくらい長時間話していても、誰ひとり退屈していません。こんな雑談もあるんだ、と感心しました。

雑談というのは、お互いに関心があって盛り上がれるネタであることが大切です。一方だけが話したくて、もう一方はまったく興味がない話題だと、すぐに終わってしまう。野球やサッカーなどのスポーツの話題でも、政治経済の話でも、双方がリラックスして打ち解けられればいい。ただ、政治や宗教の話はなるべく避けたほうがいいのです。どうしても自分の主義主張が前面に出てきて、対立構造が生まれてしまうからです。

若いうちは、朝まで議論して、時には紛糾して、そのおかげで心が通じ合ったということもあったかもしれませんが、大人の世界ではまずありません。それに、大人にはそんなことに使う体力と時間はない。限りある体力と時間を大切に、という「エコロジー精神」を忘れずにいたいものです。

人と会話をするときに、ことわざを使ってまとめにかかろうとしない。難しそうな話題で結論を言おうとしない。これは、「若々しい話し方」の必須条件です。また、「人生とは」「人間とは」「社会とは」「世界とは」と、大局的すぎる観点で話すのも、気をつけましょう。これらの言葉も、終焉（しゅうえん）に向かうときの言葉です。そこから「この間、部長がさ」という半径３メートル以内の身近な話に話題を戻せるほど、勇気があって空気の読めない人は、そうそういません。

話題が飛んで、どんどん違う話になってしまってもいいのです。延々と会話が続くほうが、若々しく思われるのです。

「立派な話をする人」と思われようとするのは、もうやめましょう。それは、「老けた人」とほぼ同義です。それよりも、「いつまでも話が続く人」「会話が途切れない人」と思われるほうが若々しく、今の時代に合っています。

テクニック 23 物事を決めつけると頭まで固まった感じがする

前項でも少し触れた、政治と宗教の話題は避けたほうがいいという話。自分としては避けようとしていても、どうしてもそういう話題になってしまうことがあります。往々にして、人には主義主張や、寄って立つ立場があるものなのです。そして、その立場から発言する。いかに自分の意見が正しいか、いかに反対意見が正しくないかを示そうとしてしまうので、否応なく「議論」になってしまう。「会話」ではなくなってしまうので、避けたほうがいいのです。

ですが、もし、互いの意見が一致していたら問題ありません。たとえ偏った意見であり、決めつけだったとしても、2人の間では齟齬がないので「議論」にはならず、共感しながら「会話」が続いていく。若い女性が「ありえなくない？」「絶対にありえない！」「だよねー、ありえない、マジで」と言い合っていることがありますが、「絶対」「ありえない」という決めつけであっても、意見が一致して会話が成り立っているので、永遠に続きます。

どちらが正しくてどちらが正しくないかを明確にすることを「白黒（あるいは

黒白）つける」といいますが、私は、世の中のほとんどのことは、白黒はっきりできないものばかりであると思っています。もちろん、犯罪は別ですが、人と人の間に起こることは、必ずしも一方に軍配が上がるとは言い切れません。状況や事情によって、「正しさ」の根拠が変わることもありうるからです。

また、白黒つけられないことをはっきりさせようとするあまり、争いごとが起きることもあります。

例えば、ＴＰＰ（環太平洋パートナーシップ）協定の問題。それによって経済的に追い込まれそうな人からすれば「反対」ですが、利益を受けそうな人からすれば「賛成」。私は、ディベートのように、どちらか一方の立場に立って議論すべき場でなければ、立場によって「賛成」「反対」どちらもあるということを踏まえた上で、相手の立場に寄り添うようにしています。相手が「～反対」と言えば、「たしかに問題はありますよね」と答えますし、「～賛成」と言えば、「そうですね、たしかに必要ですよね」と答えます。

「あなたの意見はないのか」とか「風見鶏（かざみどり）」などと言われそうですが、**そのやりとりをする場が、私の意見を押しだす場ではないからです。**それに、そもそも、簡単に白黒つけられるテーマではありません。

「白」か「黒」か、と言いますが、実は多くの物事は「グレー」なのです。グレーといっても、限りなく白に近いグレーから、ほぼ黒のようなグレーまでさまざま。白か黒、どちらの意見を選ぶかではなく、10種類、20種類くらいあるグレーの中から、どのグレーを選ぶかというのが現実的な判断ではないでしょうか。「風見鶏」「玉虫色」と言われようが、「意見がない」と言われようが、人と心地よく会話をする上では、相手によって自分は柔軟でいることも必要なのです。

「私は○○です」という自分の意見を持っておくことは大切ですが、普段のちょっとした会話の中で自分の意見を主張し続けるのは、頭が固い印象になってしまいますし、見方によっては「老けている」と取られてもおかしくはない。自分の思想・信条や価値観にとらわれて、「いや、そんなのは絶対に許せん！」となると、**これはいよいよ頑固になってきたな**、と思われてしまうのです。

ただ、「これが正しいに決まっている」と頭が固まってしまうのは、若い人にもありがちです。私が学生のとき、マルクス主義以外は認めないという友人がいました。人間が平等になることだけが唯一無二の目標であって、それ以外のことはどうでもいいというのです。そうなると、彼と話す内容は、一から十までマルクス主義の話です。

私もマルクスは読み、ある程度理解もしていて、納得する部分はあるのですが、さすがに「それだけ」とは思っていません。彼とは、映画や音楽の話をしていても、すぐにマルクスの話になってしまって、一緒に飲んでいても楽しくない。例えば、「今、日本ではリストラが横行していてよくない」という中で、「やっぱりマルクスが言ったように、労働者の権利を守らないと」という文脈であればいいでしょう。「そうだ、マルクスだ！」と声をあげるのも理解できます。ですが、どんなことでも「マルクス一辺倒」では、そのあとの話がはずみません。

こんなに若いのに、考えが凝り固まってしまったのかと思いました。考えが固まるというのは、知性の対極です。**固まらず、柔軟で流動的であることが、知性であり若々しさ**なのです。話題や事柄によって情報の引き出しを開け閉めする、これこそが発展性のある若さなのではないでしょうか。

精神医学の分野で、「フロイト派」「ユング派」というのがありますが、中には「すべてフロイト（あるいはユング）の理論で推し進める」という尖鋭的な人がいます。しかし、そういう人に治療を受けると、治癒しないケースが多いそうです。

成熟した精神医学の専門家であれば、さまざまな理論や手法を使い分けていきます。自分がどの理論を正しいと思うかではなく、この患者さんの場合はAのアプローチが適している、この患者さんにはBのアプローチというように、多様なものを受け入れて使いこなしていく。どれだけフロイト研究の権威でも、他のものを寄せつけないという人に、自分の心や体を任せたいとは思いません。

どんな分野でも、1つのことにこだわって考えが固まってしまった人は、進歩を止めたとさえ思ってしまいます。それはすなわち「老化」。年齢問わず見受けられる現象です。

自分の考えに自信を持ち、「これが正しい！」と言ったとしても、それが通るとは限りません。むしろ、声高に言えば言うほど、周りから反発されてしまいます。時が過ぎれば、いろいろな視点が生まれてきます。別の視点から見れば、白黒が逆に見えることもあります。また、新たな情報が出てくれば、それに沿って見方や考え方を改める必要もある。

情報は日々更新されていきます。**物の見方や判断については、柔軟に変えながらそれを深めていく作業こそが重要。**多様な視点を持ち、1つに決めつけず、あらゆることがどちらとも言える、またどちらとも言えない、そういう立場で会話をしていくほうが、柔軟で若々しく感じられるのです。

テクニック 24 本当のことと否定的なことは言ってはいけない

会話自体が争いの種にならないようにするには、2つのルールがあります。

1つは「本当のことを言わない」ということ。ウソをつくのは倫理上よくないことですが、人との会話においては、「本当のこと」を言うのも、ウソと同じかそれ以上によくないことがあります。特に、言われるほうにとって耳の痛いことを真っ向から突きつけてしまうと、強い抵抗にあい、会話どころではなくなってしまいます。

男女のケンカでよくあるのが、女性が事実をもとに、男性を徹底的に論破してしまうケース。女性というのは、男性の細かいところをとてもよく見ているものです。例えば、「あなたは家事を手伝うと言ったのに、自分から積極的にやったことはない」と女性が言ったとします。これが、「あなたは家事を手伝わない」だったら、男性の側も「いや、ちゃんと手伝ってるよ」と反論できますが、「積極的にやったことはない」というのが本当だとしたら、「確かに…」と思わざるをえません。実際、「手伝って」と言われてからやっているのでしょう。

女性からすれば「全部本当のことでしょ」という気持ちなのですが、言われた男性は、それについては否定できないけれど、どうにも気分がよくない。そういうことが積み重なっていくと、どうなるか。男性は言葉で勝てない分、黙ってしまいます。つまり、「本当のこと」を言えばいいというものではないのです。

もう1つのルールは、「否定的なことを言わない」。わざわざ悪口を言う人はあまりいませんが、**悪口ではなくても、言われてイヤなことは誰にもあります。**

私は、会ったとたんに「なんか、顔色悪いですね」と言われたことがあります。もしかしたら、体調を心配してくれているのかもしれません。ですが、どう見てもピンピンしている私に「顔色が悪い」というのは、「覇気がない」とか「やる気がない」、下手したら「老けている」というメッセージなのかもしれない。会って早々にそんなことを言わなくてもいいですし、そもそも「何が言いたいんだ」と思ってしまいます。当然ながら、相手に対する印象も悪くなります。

本当のことも否定的なことも、言わないようにすれば問題ありません。ただ、自分で言わないように気をつけることはできますが、人に気をつけさせることはできません。どんなに自分が制御していても、人から言われてしまうことはあるのです。そこでいちいち反応していると、ただの怒りっぽい人に見えてしまいます。つまり、相手に言われたことで自分が損をしてしまうのです。相手の会話のクセを変えることはできない。「言われたときにどう振る舞うか」が大事です。

私はここ数年、否定的なことを言われても、ほとんどムッとくることがなくなりました。ここで相手とやり合っても1つもいいことはないし、ブチ切れたからといってストレス発散ができるわけでもない。よくよく考えてみたら、感情的に怒ると疲れてしまうことに気づきました。そして、イヤな気分だけがあとに残る。ムッとして怒ること自体が、なんだか面倒くさいと感じるようになりました。

そこで私がとる方法は、**相手の言葉に徹底的に乗っていくこと**。「顔色悪いね」と言われたら、「そうそう、昔からずっと顔色悪いんだよ」とか、「今にも卒倒しそうな顔色だって、小学生のときから言われててさ」「もう、起きてすぐなんてホント真っ青！ ほとんどゾンビ！」というふうに、相手が言ったこと以上に話をかぶせていきます。

オーバーなくらいに言い続けると、だんだんと話している自分のほうがおもしろくなっていきます。イヤなことを言われて「そんなことはない！」と反論するのではなく、「そうそう」と乗っていくほうが楽しいと気づきました。

相手の言葉に乗っかるだけでなく、それを凌駕（りょうが）するようにたたみかけて、相手の言ったことをきっかけに話を盛り上げる。批判したり反論するわけではなく、基本的には同調しているので、相手にとっても受け入れやすい。これはかなり有益な方法です。

私がテレビに出ているのを見た人から、「ほとんどしゃべってなかったね」と言われることもあります。出演者が多ければ多いほど発言の時間は少ないですし、収録番組であれば編集でカットされてしまうので、実際はたくさんしゃべっていても「使われない」ことが多いのです。テレビを観ている人にはそんな事情はわからないので、「しゃべってないね」と言われてしまう。

以前は、「いや、実はけっこうしゃべってるんだよ」「私の番になる頃には、ほとんど時間がないからしゃべらせてもらえなくて」と言いながら、どこか不機嫌な感じが出ていたと思うのですが、最近はそういうことはありません。

まず、「そうそう」と相手の言うことに同意して、「本当にしゃべる時間がなくてさ、前はそれがストレスだったんだけど、今はけっこう慣れちゃってね」と言うと、「ああ、そうなんだ」と相手も納得して和やかに会話が終わる。否定的な話から始まって、最後には和やかに終わるというのは、会話の流れとしてはいいものです。

よほど悪意のある否定的な言葉でない限り、その場で怒りだすのは、避けたいものです。**怒ることは、元気な証拠であり、若いと言えなくもないのですが、こういう形の若さには大した価値はありません。**

「怒らない」というのは、仏教修行の1つでもあるそうです。何があっても怒らない、いつも静かに微笑んでいるという修行。宮沢賢治の『雨ニモマケズ』に「イツモシヅカニワラッテヰル」というのがありますが、これはとてもいい一節です。どんなに頭にくることを言われても、いつも静かに笑っているような人を目指すというのは、まさに仏になるための修行です。

『ブッダのことば』（岩波文庫）という本がありますが、私は時折、これを集中的に読んでいます。ブッダには、自分が正しいと思う考えがあります。ですが、民衆が自分とは異なる考え方を持っていたとしても、それを否定するような話し方はしません。

例えば、民衆が「バラモンがえらい、すごい」と言っていても、ブッダ自身はそういう考えがないとき、「生まれによってバラモンになるのではない。その行動や考え方によってバラモンになるのだ」と言います。つまり、バラモンがえらいかどうかという議論にならないような言い方をする。自分の考えとは違うからといって、高圧的に怒ったり、民衆がバラモンを尊敬している気持ち自体を否定したりするのではなく、自分の考え方はこうです、ということを伝える。「怒らない」修行を経た人の技ですね。

仏教の修行ができない私たちは、いっそのこと「たいていのことは、どっちでもいい」と思えばいいのです。投げやりになるわけではありません。**どうしても譲れないこだわりがあること以外は、相手がどう思っていようと執着しない**ということ。顔色が悪くても良くても、テレビでほとんどしゃべっていなくてもしゃべっていても、実際のところはどちらでもいいのです。

どんなに怒っても、どんなに反論しても、いずれ私たちはこの世からいなくなってしまう。相手も私も死んでしまうのです。

そう考えたら、そんなささいなことで言い合ったり恨んだりする時間がもったいない。イヤな気分は消せないとしても、「まあ、いいか」で終われるなら、それでいいのです。

テクニック

25 苦手な人とは会わない、話さない

誰にも苦手な人はいます。嫌いとまではいかなくても、どうも楽しく会話ができない人、なんとなく会話の後味が悪い人、人の悪口や噂話ばかりをする人など。

苦手な人とどう付き合っていけばいいですか、という相談を受けることがあるのですが、私はある程度の年齢になったら、苦手な人とは会わない、話さないと決めればいいと答えています。**人生の時間は限られています。**苦手な人と親しくなる努力をやめて、気の合う人とだけ付き合うと決めてしまう。これも1つの方法です。

70代になる知人男性の趣味はゴルフ。今でも月に1、2回はゴルフに出かけています。ゴルフは4人でプレーするのですが、たいてい同じメンバーなのだそうです。よく飽きないなと思うのですが、彼曰く「疲れないからいい」と。

彼はマージャンもやるのですが、それも同じ4人組。4人でやることばかり選んでいるわけではないでしょうが、メンバーが変わりません。おそらく、気心の

知れたメンバーと趣味を楽しむと、ストレスがないのでしょう。メンバーが変わる新鮮さよりも、変わらない安心感のほうが勝っている。ある程度年齢を重ねた人にとっての友人というのは、そういうものなのかもしれません。

その知人のように、決まった人とだけ付き合うというのもいいのですが、私がおすすめしたいのは、**年に1人ずつくらい、新しい友人を増やしていく**ということ。たくさん増やす必要はありません。部屋の窓をちょっとあけて空気を入れ替えるくらいの感覚で、1人ずつ増えれば十分。

なぜかというと、年に1人くらいは、何らかの事情があって疎遠になってしまったり、不幸にも亡くなってしまったりと、友人が減ってしまうことが予想されるからです。

その人たちと、必ずしも頻繁に会う必要はありません。それぞれの人と年に1回会うだけでもいいのです。家に招く、外で食事をするというように、その人と過ごす時間をちゃんととる。私も年に1回必ず会う友人が何人かいます。そういう付き合いを続けていると、それなりに関係が深まっていきます。年齢を重ねると、5年10年はあっという間に経ってしまうので、年に1回でも5回、10回と会うことになる。もし年に3、4回会ったとしたら、相当な回数会うことになります。

限られた人とだけ付き合うと決めると、自分にとってのバランスが重要です。そのバランスを考えてみましょう。今、親しく付き合っている人を、リストアップしてみてください。ある程度定期的に会っている人、わざわざ約束をして会っている人を数人挙げてみます。その人たちを、3つのグループに分類します。私はこれを、赤・青・緑の3色ボールペンでやっています。赤は「この人がいなかったら困る」という相手、青は「まあまあ大事」という相手、緑は「たまにこの人に会うとおもしろい」という相手。話し相手には、最低限この3人がいれば大丈夫。とてもバランスのいい友人たちということになります。

色分けするメリットは、もしこの中の誰かが欠けてしまったら、次にどんな関係性の相手を補充すればいいかがはっきりするということ。それに、1人が抜けてもまだ2人は残っています。年に1人増やす友人は、この分類を基準にしていくといいのです。緑の人が多いと刺激的で楽しいのですが、赤がいないと心もとない。青が多かったら、その中から赤になりそうな人を見つけたほうがいい。このように、友人関係のバランスをみていくことができるのです。

若くあるためには、話し相手を確保するのがとても大切です。日常的に人と会話するのは、脳の働きに必要なだけでなく、日々の生活の潤いにもなっていくからです。

話し相手がいないからと、ペットを飼う人がいます。ぬいぐるみに話すという切ない状況よりは、生き物であるペット相手のほうがいいですが、やはり人と話すことと犬や猫と話すことはまったく違います。会話の醍醐味（だいごみ）は、**自分が伝えたいことが相手に伝わる喜び、そこに相手が反応してくれる喜び、**そのやりとりなのです。

福沢諭吉も『学問のすすめ』の中で、「新友」をすすめています。

苦手な人とは付き合わない。気の合う人とだけ親しくする。年に１人ずつ、新しい友人を見つける。これをクリアできれば、けっこう充実した人生が送れるはずです。

COLUMN

ムカつく相手には「ほめディフェンス」

人には相性があるので、中には話していると頭にくる人もいますよね。そういう人に対しては、「ほめ殺し」をして封じ込めるのがいいでしょう。

相手が何か面倒なことを言いそうになったら、「いつも素敵なファッションですよね。やっぱり違いますよね。お会いするたびにいいなぁと思っているんですよ、いやあ、すごい」と、相手が口をはさむ余地がないくらい、ほめ続ける。すると相手はだんだんと言葉を失ってきます。

つまり、ほめてほめてほめまくることで自己防衛するんですね。名づけて「ほめディフェンス」。ほめることでバリアを作るのです。相手もほめられたら悪い気はしないので、その気になって図に乗ります。図に乗る人は乗せておけばいい、というのが大人の対応です。

人の気質は変わりません。「もっとこうすればいいのに」というアドバイスをしても、相手が変わることはない。そう思って、「よくしてあげよう」

なんて思わないことが得策です。

すぐに激高するような気難しい人もいますが、そういう人ほど単純なもの。相手の話に「へぇ、そうなんですか。それで?」と同調しながらうまく乗せて、時折「ほめ」をスパイスのように振りかけて、「なるほど、それはすばらしい!」と盛り上げる。気難しい人は、人から敬遠されることが多いので、普段からあまり親身になって話を聞いてもらえていないんですね。寂しい人が多いのです。ですから、そこで話を聞いてあげるだけで相手の気分がよくなり、好意的な対応をしてくるようになります。

親しくならずとも、後味の悪いやりとりにはしたくないので、ぜひ「ほめディフェンス」を活用してください。

第6章

〔リモート編〕

オンラインでの会話のコツ

テクニック 26 リアクションは手の動きを添えて

二〇二〇年は新型コロナウイルスの感染拡大によって、コミュニケーションの在り方が大きく変化しました。私の勤める大学でも授業はほぼオンラインとなり、始まった当初、これまでの授業とはまったく違ったものになるのではないかという懸念がありました。

最初のころに多かったのは「資料提示型」の授業です。先生が一方的に講義を行い、それを聞いた学生が教科書の何ページを読んで、要約などをしてレポートを提出するというスタイル。こうした授業を続けるうちに、大学生たちに不満が溜まっていることがわかりました。不満の原因は、「やり取り」が足りないこと。相互作用の少なさに、学生たちは物足りなさを感じていたのです。

そこで、よりライブに近い形でのオンライン授業を模索するようになっていきました。ライブに近いとは、先生だけが発信するのではなく、大学生からも発言が出て、それらの発言が相互に絡まり合って発展していく形の授業です。

会話の中から気づきが生まれ、その気づきから次の展開が生まれていく。これが学びの理想です。つまり会話の質が低下すると、学びの質も担保されなくなる。ですからオンラインであるがゆえに会話がうまくいかなくなると、気づきも少なくなり、新たな展開も望めません。これは大学の授業においてのみならず、会社などでの会議や会合にも言えること。オンラインでの会話の質の低下は、生産性の低下につながる。これは大変危険なことです。

私は、約1年間を通して大学のオンライン授業に取り組み、学生たちの反応を見ながら、試行錯誤してきました。そうした経験を基に、新しい時代にあった会話の在り方のヒントやコツを、いくつか示したいと思います。

オンラインでの会話は、リアル（対面）で行う会話に比べて、リアクションが見えにくく、また、感じ取りにくいものです。顔を出してオンライン会議や授業に参加したとしても、相手に見えるのはせいぜい上半身くらいまで。よって、大きなリアクションが必要になります。

第3章の「聞き方編」で述べた通り、対面の会話でもリアクションは重要で、普段から、体の動きは少しくらい大きめがいいのですが、**オンラインでは「さらに大きめ」を心がけて**みてください。

具体的にどうすればいいか。

まず、可能であれば、オンラインの会話には「顔出し（ビデオ付き）」で参加します。そしてミュートを解除し、「話ができる状態（音声付き）」を維持する。もちろん通信環境などにもよりますが、リアクションのない相手に話を続けるのは大変苦しいことであり、話しがいのないことです。

環境を整えた上で、実際にリアクションを取るわけですが、相手の発言に賛同するときにおすすめなのが、**顔の横でパチパチと「拍手」をすること**です。こうした動作によって賛同の意、あるいは賞賛の意をはっきりと視覚的に相手に伝えることができます。対面での会話でも、私は以前から拍手を取り入れようとすすめていますが、オンラインではより有効だと思います。

というのは、第3章でお話しした「なるほど」や「へぇー」といった相づちをオンラインですると、発言者への賛同の意は伝わりますが、ネット環境によっては混線して音声が乱れたり、相手の会話に割り込むことでテンポが悪くなってしまうことがある。結果、会話がスムーズに進まない。ここが対面とオンライン環境の大きな違いです。

しかしながら、オンラインの会話でもリアクションを取ることは重要です。しかも大きめに取らなければいけない。表情ですむものは表情で、しぐさやアクションで代替できるものはそれらで表現することが大切になってきます。

　相手の発言に対して「すばらしいですね」と発言する代わりに、拍手をする。あるいは頭を大きく上下に振って頷く。反対に、賛同できない場合は、頭を左右に振ってＮＯを示す。これに手を加えてもいいでしょう。手を左右に振って「とんでもない」「遠慮する」を伝えるわけです。ちょっとオーバーすぎるかな、と思うくらいのリアクションでちょうどいいと思います。

　こうしたリアクションのいい点は、オンラインの会話のテンポを保ったまま自分の反応をはっきりと伝えられるのに加え、雰囲気を明るくすることです。私は大学の授業で学生たちに、「顔の横で拍手してくださいね」と言います。みな、やってくれます。そうすると、発言者は報われた、自分の発言が好意的に受けとめられたと感じる。その結果、オンライン授業の雰囲気が明るくなるのです。

オンラインの発言空間をどれだけ明るく、そして温かいものにしていけるか。

それが、アフターコロナの会話術にとって非常に大切になるでしょう。

　新型コロナウイルスの感染が収束するには時間がかると思いますし、また、コロナとは関係なく、仕事や会議をオンラインで進めていこうという動きが、今後広がっていくでしょう。コロナを機に、社会は大きく変わりつつあります。オンライン環境を十分に活かすためにも、それにふさわしい会話術を身に付けておく必要があるのです。

さきほど、オンラインの会話にはできるだけ「顔出し」「音声あり」で参加するのが望ましいと言いました。しかし、ネット環境や参加人数などによっては、それらができない場合があるでしょう。大学の授業でも、学生は全員顔出ししないでミュート（発言しない状態）で、先生の講義を聴いているだけの場合もあるようです。

それだと発言者は暗闇に向かって話すようなもので、私なら耐えられません。そうした場合には、「チャット」機能を使うという手があります。

チャットとは、インターネットでリアルタイムに会話をする仕組みで、言ってみれば文字での会話です。オンライン上で発言できない人は、チャットを使ってどんどん意見や反応を書き込んでいくといいでしょう。そうすれば、雰囲気を盛り上げることができます。

例えば大学の授業では、学生のプレゼンテーションに対して、聴講した学生に必ずチャットで意見を書き込んでもらうようにします。そうすると、プレゼンテーションした学生は、授業に参加している学生数十人から様々な意見がもらえる。文字は読む人の心に食い込みますから、チャットで感想をもらった学生の満足度は高くなるわけです。

私の場合は、できるだけ顔を出し、発言をし、加えて、チャットを駆使してコミュニケーションを取るようにしていますが、その時々の環境に沿ったベストな方法を探してみてください。

最近、テレビ番組でも、リアルタイムで視聴者のコメントを流す番組が増えてきました。こうした環境に慣れているいまの若者は、瞬時の情報処理能力が非常に高い。オンライン会議や授業で、発言者の話を聞き、画面に映る人の表情やリアクションを確認し、チャットに行き交う膨大な文字情報を読みながら、スムーズに話を進めていくことができます。**オンラインは、複数の情報が同時に行き交う空間です。**単線ではなく複線のコミュニケーションが求められる場。こうした高度なコミュニケーションに慣れることは、リアル（対面）のコミュニケーションの幅を広げることにもつながります。

テクニック 27 「つかみはOK」失敗を恐れず場を和ませる

オンラインの良さでもあり弱点でもあるのは、要件のみになってしまいがちなことです。

対面で顔を合わせると、「暑いですね」とか「先週は何をなさっていましたか?」といった他愛もない会話を自然とするものですが、オンラインだと「早速、会議を始めましょう」となる。効率はいいのですが、無駄のなさは人を疲れさせます。効率を追求するだけでは、人は神経をすり減らすことになるのです。

やはり人間同士が出会ってやり取りをするわけですから、要件を交わすだけではなく、何かしら感情のやり取りがあってしかるべきでしょう。

そこで大事になるのが「笑い」です。対面以上にオンラインでは笑いを多めにしたい。そのために私は、大学の授業で、学生に1人ずつ「30秒の近況報告」をしてもらうことがあります。その人が最近何をやっているのか、何にはまっているのかを聞くと、「人間らしさ」が見えてきます。人間らしさが垣間(かいま)見える会話は笑いが起きやすく、場の空気がほぐれます。

ですからオンライン会議などでも、すぐに本題に入らず、笑いを生むための「つかみ」を大事にしてください。例えばいまだと、映画『鬼滅の刃』の話題は盛り上がるのではないでしょうか。すでにのべ2千万人が観た、いわば国民的映画ですから、つかみにはもってこい。すでに観た人には「煉獄（れんごく）さんのお母さんがよかったですね」などと話し、まだ観ていない人には「絶対観に行ったほうがいいですよ」などと言って場を和ませる。対面と違って自然に雑談が生まれにくい環境だからこそ、オンラインでは意識的に「つかみはOK」を狙いにいってみてください。

私が行っている「30秒の近況報告」では、オンラインならではの光景が画面に広がります。

例えばある学生は、「最近、ウクレレを練習しています」と言って、美しい音色を披露してくれました。あるいは、家にいた妹さんを紹介してくれた学生もいました。これらは「自宅にいることの強み」を活かした近況報告で、ずいぶん盛りあがりました。

私はというと、今年、還暦を迎えたときに、コメンテーターとして出演している番組からいただいた特注の赤いジャケットを着たり、以前、水戸に行ったときに買った印籠を学生に見せて笑いを取ったことがあります。どちらも家にある「現物」を使って成功した例であり、オンラインだからできたことです。本でも玩具でも何でもいいのです。部屋にあるモノを画面に映すだけで話のネタになりますから、ぜひやってみてください。

「この紋所が目に入らぬか！」でおなじみの水戸黄門の印籠は、水戸の徳川ミュージアムで買いました。もちろん、オンライン授業で使うために買っておいたわけではありませんが、こうやってわざわざ買っておくと、思わぬときに出番がやってくる。笑いを取るためには、日頃のちょっとした心がけや行動が大事だということです。

オンライに限らず、会話においては多少のリスクを冒してでも笑いを取りにいくことを私は推奨しています。それだけ笑いは、会話を円滑に進めるために大きな役割を果たすからです。

一緒に情報番組に出演しているアナウンサー（安住紳一郎アナ）は、傷だらけになりながら笑いを取りにいくと仰っていました。一般の人がそこまでするのは難しいですが、運よく笑いを取れれば会話がうまい人だな、この人ともっと話したいなと思われますし、たとえスベったとしてもたいして人を傷つけるわけではありません。だから、勇気をもって笑いを取りにいく心意気を持ちたい。「親しき仲にも笑いあり」だと思っています。

そうはいっても、笑いを取るのは苦手だなと感じている人にすすめたいのは、「盛り上げ役」に徹することです。つまらないな、と思うジョークにも、笑って拍手してあげる。自分が面白いことを言えないと思う人は、面白い人を賞賛することで場を盛り上げてください。

ＦＣバルセロナに所属するサッカーのリオネル・メッシ選手は、チームのエースであり、多くの得点やアシストを決める一方で、ボールを失うことも多い。ボールロストは失敗を恐れず果敢にチャレンジするからこその結果ですが、それは同時に、フォローする仲間がいるからできることです。

同じように、オンライン空間に、どんな発言でも受け止めてくれる元気で明るい「盛り上げ役」が存在すれば、参加者は笑い取りにいきやすくなるでしょう。スベるリスクが減りますから。反対に、冷ややかな空気を醸し出している人ばかりだと、参加者の発言は控えめになっていく。

残念なことに、ジョークが言えない人、あるいはアイデアを出せない人が、盛り上げ役さえ引き受けないことはよくあります。しかしそれでは、サッカーでたとえるならば上手くない上に走らない選手のようなものです。

日本社会には、面白いことを言う人だけでなく、面白いことを言う人を賞賛する文化が足りていないと感じます。この2つは表裏一体。盛り上げ役を担って発言しやすいオンライン空間や雰囲気をつくることも、会話においてはとても重要な役割です。

テクニック 28

話すときに時間を計る癖をつける

オンラインの会議や会合では、時間の管理が重要なポイントになります。

もちろんこれは対面の会話でも同様で、第2章「話し方」編で、「時間を気にしながら話すと、キレがよくなる」などの話をすでにしました。オンラインではより時間の意識が必要になるということで、改めてお話したいと思います。

私はつねづね、日本人は、時間に対する意識が低いと思ってきました。例えば日本人の金銭感覚はしっかりしていて、倹約は美徳であるし、他人のお金を盗んだりする人はほとんどいない。しかし時間に対してはルーズなところがあるのです。会議やシンポジウムで「3分で話してください」と言われて、守れる人が少ないことがそれを示しています。

3分と指定されているにもかかわらず、5分、10分と話すことは「タイム・イズ・マネー（Time is money　時は金なり）」の考え方に照らせば、他人のお金を盗むに等しい。けれども日本人にそうした意識は希薄のようです。

ちなみに「タイム・イズ・マネー」は、アメリカの政治家で建国の父といわれるベンジャミン・フランクリンの自伝に由来する言葉です。フランクリンは、時間はお金のように大切なものであることを強調した。マックス・ウェーバーが『プロテスタンティズムの倫理と資本主義の精神』の中で、フランクリンを資本主義の精神を体現した人物として挙げたことで、「タイム・イズ・マネー」は資本主義の基本的な考え方となりました。

「タイム・イズ・マネー」と聞くと、何やら世知辛い印象を受ける人もいるかもしれません。しかし**本来は、人間関係を大切にする考え方です**。互いにとって時間は大切である。その貴重な時間を公平にクリエイティブに使いましょうと。誰にでも平等な時間をきちんと管理することが、相手を尊重することにつながるという、他者への愛情を育む考え方なのです。

1人が長く話しすぎてしまっては公平ではなくなる。よって会議などでは1人何分と、発言時間に制限が設けられる。しかし、日本人はその時間をなかなか守れないという話をしました。ではなぜ守れないのか。理由は単純で、**時間を計っていないから**です。

ですから第2章でもおすすめしたように、時間感覚のある話し方をするために、ストップウォッチを手元に置くのです。スマートフォンのストップウォッチ機能を使ってもいいのですが、スマホには何十という機能があり、必ずしも時間を意識させる道具ではない。一方ストップウォッチは時間をはかるためのもの。だからストップウォッチを見ると、時間をコントロールしなければという意識が喚起されると思います。

私がコメンテーターとして出演している夕方のニュース番組（『Live News イット！』）のメンバーは、アナウンサー含め、ストップウォッチを持っています。それまで私は、自分以外にストップウォッチを持っている人を見たことがありませんでした。生放送の番組ですから、ニュースやコメントが1秒ずれただけで空気がおかしくなるという世界。特殊な世界ではありますが、これからの時代、どんな人にとっても「秒単位」の時間感覚は必要になってくると思います。

オンライン会議では、各々が自分の時間を意識すると同時に、タイムキーパーを設けることも有効です。四人の会議であれば、四人が均等に話せるように、タイムキーパーが「はい、次の方」「はい、次の方」と、パスを回していく。話を途中で遮ると感じの悪い人という印象を与えがちですが、あらかじめタイムキープ役であることを周知し、ストップウォッチを見せておくと、発言を遮ってもそんなものかと、割合スムーズに受け入れられるものです。

対面でも、会話があまりもたつくと、相手を不安にさせるなどいい印象を与えません。オンラインはなおさらで、相手をイライラさせることにつながります。できるだけテキパキと、15秒なら15秒、30秒なら30秒で、無駄なく話す。これがオンライン時代には必須の能力になります。

　これまで、会社の会議では、お偉いさんばかりが発言して、若い社員は黙って聞いているということが珍しくなかったかもしれません。あるいは大学の授業では、積極的な学生は元気に発言する一方で、消極的な学生はずっと口を噤（つぐ）んでいる、といった個人差が見られました。これからは、これまで発言権が与えられなかったような人、あるいは若い人の意見にも光を当てるべきです。そのためにも、参加者全員が平等に発言できるような時間の使い方が重要になるのです。

　オンライン会議では効率よく、平等に時間を回す。その結果生まれた余白の時間で、前項で述べたような「笑い」につながる人間的なコミュニケーションが取れるといいでしょう。メリハリのついた会話技術、それがオンライン会話の基本になると思います。

テクニック 29 段取りをあらかじめ作っておく

「段取り」をあらかじめ考えておくと、オンラインの会議や会話が進みやすい。とくに限られた時間の中でオンライン会議を行う場合は、段取りを立てておくことをすすめます。

対面では、ある程度、その場の流れに任せることが可能です。ところがオンラインでそれをすると、進行がもたつきやすい。オンラインは対面に比べて参加者の発言が少なめになりますし、会議全体の雰囲気を読みにくいため、話がどちらの方向に進むのか見えにくいのです。そこで必要になるのが段取りです。

例えば私が参加している会議では、事前に**事務局からレジュメが送られてきます。**次の会議での審議事項が1から8とか9まで書かれてあり、何を、どれだけ、どのくらいの時間で決めなければいけないのか一目瞭然です。

会議中は、そのレジュメを画面共有という形で、参加者のパソコンのモニター上に映し出します。司会者が「いま5番まで審議が終わりました。次の6番に移ります」と、段取りを確認しながら、各項に必要な資料があればそれも画面共有しながら、進行します。こうすることでテンポよく意思決定に向かうことができるのです。

事前に全体像を示し、参加者全員で共有し、それに従ってテキパキと進めていく。これはオンラインに限らず、また会議や会合に限らず、普段の会話のなかでも生きる技術だと思います。

意思決定の場面では、対面以上にはっきりと意思表示をする必要があります。自分では頷いているつもりでも、あるいは反対しているつもりでも、オンラインでは非常に伝わりにくいからです。

なぜ伝わりにくいかと言えば、対面と違って、オンラインでは場の「空気感」が醸成されにくいから。私の専門は身体の研究ですが、**空気感とは「各人が持っている身体の状態感の総和」**と言っていいでしょう。ある意見に対し、「そうじゃないな」とネガティブな考えを持っている人がいたとします。するとその人は、身体からネガティブな空気を発します。そういう人が何人かいると、その場の空気がネガティブなものになる。人間の身体の状態と、場の雰囲気はつながっているということです。

オンラインでは、各々の身体は別の場所にあるわけですから、画面に顔を出していたとしても空気感というものは生まれない。よって、場の空気で相手の意思がなんとなくわかる、という対面ではよくあることが、あり得ないのです。これは対面とオンラインの大きな違いの1つだと思います。

そこで明確な意思表示が必要となります。

方法の1つとして、司会者が「賛同する人は挙手をお願いします」と「挙手」を求めるのもよいでしょう。手を挙げるとなると緊張感が出るかもしれませんが、**そのくらい明確に賛同あるいは否定の意思を示さないと伝わらない**ものです。

意思表示を確認する側の聞き方も問われます。できるだけ具体的な問いかけが望ましい。例えば「Aですか、Bですか、Cですか」と選択肢を提示して選んでもらう。「どうでしょうか」といった漠然とした問いかけでは、なかなか話が進みません。

オンライン会議で参加者の発言が少ない場合は、司会者が順番にどんどん指名していくのも有効な手だと思います。「誰々さん」「誰々さん」と指名されると、意外と意見が出てくるものです。

オンラインは、発言のタイミングがはかりにくく、対面よりも発言が消極的になりがちです。もともと日本人は遠慮がちで、責任をあまり負いたくないというメンタリティもある。しかし、発言の少ない会議の生産性は低くなります。友人との会話なら問題ありませんが、仕事でボーっとしていてはダメなわけです。

ですから参加者の自主的な発言を待つのではなく、司会者がどんどん回していくことが、スムーズな進行のコツになります。

対面ではこれまで、場の雰囲気によってなんとなく意思決定がなされていくという会議があったかもしれません。けれどもオンラインでは、「雰囲気で」「なんとなく」は不可能だと思ってください。従来式に慣れた人にとっては、時にやりづらさを感じることがあるでしょう。けれども慣れれば、オンラインの良さに気づくはずです。事前に共有した段取りに従って進行し、参加者全員が意見を平等に発言し、意思表示を明確に示す。「○割の人が賛成なので、この意見を採用します」と、結論も明確に出やすいのがオンラインの利点です。

最近、私の授業の学生は「オンライン授業は気持ちがいい」と言います。てきぱき進むし、意見もちゃんと言えるからと。オンラインの利点が浸透し、評判がとてもよくなりました。

オンラインでは、会話を切り上げるときも、明確に示す必要があります。周囲を見渡して、なんとなく終わりそうな空気だな、という判断ができないのがオンライン。とはいえ、会話を切り上げるのに難しい技術がいるわけではありません。「以上です」と言うだけ。

自分の発言が終わった最後に「以上です」を付け加えて、次の人に回す。あるいは司会者は、会議を終わらせる際に「本日の会議は以上です」と宣言する。無駄な言葉を極力減らし、これで終わりですよ、ということを端的に伝える。これが、気持ちよく会話を切り上げる技術です。

テクニック 30 「書いて見せる」ことでイメージを共有する

オンラインの利点は情報を共有しやすいことです。前項で、画面共有を使ってレジュメなどの資料を共有する話をしました。あるいは部屋にある「モノ」を画面上で見せて、笑いを取る例も紹介しました。

事前に準備した資料やすでにあるモノだけでなく、会議中に現在進行形でイメージを共有していくことは、オンラインの会話をより充実させます。

例えば会社の会議で新製品のネーミングを検討しているとします。発言者は自分のアイデアを言葉で伝えるだけでなく、**その場で紙に書いて、画面に映して見せる**のです。A4の紙に、ボールペンだと線が細くて見えにくいので、マジックで書くのがよいでしょう。書いた紙を見せて「こんなのはどうでしょう」と。

文字は非常に強力です。それも手書き文字はインパクトが強い。複数案ある場合はそれらを全部書いて、どれがいいでしょうかと問う。すると参加者は、ネーミング案を耳で聴くだけでなく視覚的にも検討できる。会議の充実度がアップするわけです。

対面の会議でホワイトボードを使うことがありますが、オンラインで紙に書くのはそれと同じことです。私は常にＡ４の紙を数枚と、マジックを用意して、大学の授業や会議に臨みます。そして、文字を書きながら進めていく。イメージを共有することで内容の理解度が高まります。

実は普段の会話でも、紙とペンを用意しておいたほうがいいと私は思っています。たいていの会話は、「道順説明」のようなもの。道順なのだから、なぜ地図を書かないのだろうと不思議に思うのです。旅人とすれ違って駅はどこですかと聞かれたら、言葉だけでなく、地図を見せたり書いたりして説明するとわかりやすいでしょう。それと同じで、会話でもイメージと言葉、両方を使って話を進めるほうが、相手の理解は深まるのです。

要するに「言語」と、文字や絵や図・画像などの「イメージ」を合体させる会話術です。

これを習得するにはある程度の訓練が必要かもしれません。慣れていない人は、話すと手が止まり、手を動かすと口が止まりがち。ただ、難しいことでありません。オンラインに限らずこれからの時代に必要な会話能力ですから、オンラインが広がったこの機会に、練習して身につけてみてください。

大学の授業では、学生に動画を発表してもらうことがあります。1分程度の動画をあらかじめつくっておいてもらう。ある学生は「選挙に行こう」というテーマの動画を、人気バンド「ONE OK ROCK」の『完全感覚Dreamer』の曲に乗せて、ギターと歌は自分の演奏で作成してくれました。いまの若者は技術もあるし、実にクリエイティブ。YouTubeを見る人も増えましたし、誰にとっても動画はとても身近なツールになりました。

この時代、**ICT（情報通信）技術は、会話力に直結しています。**2つは密接に関係している。ICT技術を高めることが、会話力の向上につながる。会話力アップのためには、ICT技術が欠かせないと言ってもいいでしょう。

ICT技術といっても、それほど難しいことではありません。オンラインでの会話や会議ができる環境設定と、画面共有やチャットといった基本機能を学べば、まずは大丈夫。あまり難しく考えず、気軽に使ってみる、やってみる姿勢が大事です。そうしているうちに、だんだん慣れてくるし、コツがつかめてくるものです。

テレビを見ることと、電話をかけることに、私たちは十分すぎるほど慣れています。オンライン会話は、いってみれば、「テレビ電話」。顔の見える電話だと思って気軽に使ってみてください。さらに資料や動画を共有できるわけですから、電話より効率がいいと感じる人は多いはず。今後、電話よりオンラインでのコミュニケーションが増えていくのではないでしょうか。

　新型コロナウイルスによって会話の在り方は大きく変わりました。その変化には必ずしもネガティブな面だけでなく、ポジティブな面もあると思います。オンライン化が進むことで働き方改革が進み、これまで話してきたように、会議の新しい在り方も確立されました。**オンラインで習得した会話術を、対面の会話に応用することで、会話力はアップします。**私自身もオンライン授業を実際に経験することで、新しいコミュニケーション方法を学びました。

　それから、文部科学省が進める「GIGAスクール構想」は、新型コロナウイルスの影響で、当初の予定から前倒しされました（２０２３年度目処（めど）だったのを２０２０年度中に前倒し）。これは小中学校に高速な校内ネットワークを整備し、生徒が１人１台コンピューターを使えるようにするもの。オンライン会議などの環境整備もそうですが、コロナはネット環境やデジタル環境を、一気に10年ほど推し進めた感があります。これもコロナがもたらした前向きな側面と捉えることができるでしょう。

新型コロナウイルスで容易に人と会えなくなり、会話の機会が減った人は多いでしょう。これは残念なことですが、そのぶん、1人の時間が増えている人も多い。この時間を有効に使って、会話のネタを仕込んでおくのもおすすめです。時間がなくて読めなかった本を読んだり映画を観たり、あるいは動画をつくってみる。**会話力は会話をしていない時間にも育むことができるのです。**オンラインでも対面でも、次に人と会話するときにそれらを共有すれば、質の高い会話や、質の高い会話の場づくりができるはずです。

COLUMN

イタリア人に学ぶ「手の表情」

大きなリアクションを取るコツの1つが、手でアクションをすること。「手の表情」を加えることで、リアクションが大きくなります。

例えば「賞賛」の気持ちを表したいときは拍手をし、「驚き」を示すときは、手のひらを広げて身体ごと少しそらせる。「ありがとう」は、手のひらを合わせて、軽くおじぎをする。こうした簡単な手の動きによって、オンライン画面は明るく賑（にぎ）やかになります。

手の表情は、メールやラインにおける「絵文字」のようなものと言えるかもしれません。感情をわかりやすく、そして楽しく伝えてくれます。

とはいえ日本人は普段、それほど手振りを使って会話をしません。第3章でもご紹介したように、そんな私たちのお手本になるのがイタリア人です。イタリア人はジェスチャーを多く使う人たちで、手の動きがほんとうに豊か。手を動かさずに話すことはできないと言われるほどです。

イタリア人の手の動きを学ぶには、映画が参考になります。おすすめはソフィア・ローレン主演の『ひまわり』。彼女の手の動きはとても豊かで美しいです。テレビでは、Eテレのイタリア語講座（『旅するためのイタリア語』）が手軽でよいでしょう。ここに出てくるイタリア人の先生はもちろん、日本人の先生のジェスチャーも大きいので、ぜひ注目してみてください。

長くイタリアに住んでいた知り合いは、イタリア人か観光客かは、手を見ればわかると言っていました。観光客の多いイタリアですが、手を動かさずにしゃべっていたら観光客、よく動いていたら現地のイタリア人というわけです。

最後、オンライン会議が終わるときは、「バイバイ」と相手に手を振って終わるのもよいでしょう。

あとがき

長寿大国となって久しい日本。「老い」は誰しもが直面する問題として、いろいろな場面で話題になります。

人はいつまでも若々しくありたいと思うもの。「若くある」ことには限界がありますが、「若々しくある」のはいくつになっても可能です。そもそも「若々しい」という言葉自体、年齢を重ねた人のためにある言葉ですから。

もちろん、いつまでも若々しくあるのはいいことですが、だからといって老いを否定するつもりはありません。人生の時間が長くなればなるほど、老いを自然に受け止めて生きていくことが大切。ですから、自分の年齢と相談しながら、また感覚を微調整しながら、上手にモードチェンジできればいいのではないかと思うのです。

昔は、長老が重んじられていました。年齢が高く、成熟しているということが尊敬を集める社会だったのです。

でも今は違います。若いことが価値を持つ時代になっています。

皆が見た目の若さにこだわったり、アンチエイジングという言葉がもてはやされたりするのはそのため。もちろん、外からの評価を気にすることもありますが、私たち自身も若いことに幸福感を感じるようになっているのです。「若返りたい」という思いは、今の時代に合った内的な欲求でもあるのです。

本書では「若返る会話術」をテーマに、さまざまなコツやポイントをお伝えしてきました。「話す」と「若返る」を一緒に考えることはあまりないと思いますが、私は「話すことで若さを保つ」ことを実感しています。大学の授業で話す、会議や打ち合わせで話す、取材で話す、テレビのコメンテーターとして話す。さまざまな場面で話し続けていると、頭の中がクリアになってきて、話せば話すほどイキイキするのを感じます。

見た目を若くする、内面を若くするノウハウも大切です。でも、会話をしていて「この人と話すとおもしろい」「また話したい」と思われる人は必ず若々しく見られます。人と会って楽しい会話ができる人生を送ると、必然的に内面が豊かになり、外見も磨かれてくることでしょう。

新型コロナウイルスの感染拡大によって、二〇二〇年はオンラインでの会話が急速に広がりました。そこで文庫化にあたり、オンライン会話術の第6章を追加しました。この章で述べたように、オンラインによって会話の在り方が変化し、コミュニケーションの幅が広がると考えれば、この状況は必ずしも悪いことばかりではありません。

オンラインで大事なのは機嫌よく話すこと。そうすれば若く見られます。そしてこもった声は通りにくいので、対面より少しテンションを上げて臨みましょう。と「上機嫌モード」はオンライン時代において、ますます重要になってきます。とはいえそんなに難しいことではありません。直接対面するわけでないため照れが少なく、案外ラクに、明るい自分を演じることができるものです。やってみればすぐに、オンラインならではのハードルの低さを実感するでしょう。

明るい自分を演じているうちに、機嫌よく会話をするクセが身についてくると思います。それは、また気兼ねなく会話ができるようになった未来にも、役立つスキルになるはずです。

無理なく楽しく少しずつ。若返る会話術で、充実した人生を送りましょう。

齋藤　孝

集英社文庫

10歳若返る会話術

2021年2月25日　第1刷　　定価はカバーに表示してあります。

著　者　齋藤　孝

発行者　徳永　真

発行所　株式会社 集英社
東京都千代田区一ツ橋2-5-10　〒101-8050
電話　【編集部】03-3230-6095
　　　【読者係】03-3230-6080
　　　【販売部】03-3230-6393（書店専用）

印　刷　凸版印刷株式会社

製　本　凸版印刷株式会社

フォーマットデザイン　アリヤマデザインストア　　マークデザイン　居山浩二

ISBN978-4-08-744212-0 C0195